Portfolio

Deutsch

German Textbook • Level 3

by
Stefanie Dengler
Sarah Fleer
Paul Rusch
Cordula Schurig

Klett-Langenscheidt

München

By
Stefanie Dengler, Sarah Fleer, Paul Rusch, Cordula Schurig
Training by Katja Behrens and Helen Schmitz

Editor:
Angela Kilimann and Sabine Franke
in collaboration with Annerose Bergmann
English language edition: Linda Grätz and Dagmar Schalliol

Translators:
John Stark and Beth Moller-Tank

Design and Layout:
Andrea Pfeifer

Cover Design:
Andrea Pfeifer

Illustrations:
Anette Kannenberg and Daniela Kohl

Typeface:
kaltnermedia GmbH, Bobingen
English language edition: bookwise GmbH, Munich

Authors and publisher would like to thank Birgitta Fröhlich (Goethe Institute Madrid),
Dr. Ferrel Rose (Bowling Green High School, Kentucky) and the many colleagues
who have tested, critiqued and offered invaluable suggestions and input during
the development of *Portfolio Deutsch*.

Portfolio Deutsch	
Textbook *3*	606352
Workbook *3*	606353
Audio-CDs *3*	606354
Teacher's Manual *3*	606986

Icons

 Listen to the CD.

 Write it down in your notebook.

 Speak along or repeat.
Practice your pronunciation.

 Writing samples. Draw a picture or attach photos.
Be creative! Collect these samples in a folder.
This is your portfolio.

More on *Portfolio Deutsch* on the internet: www.klett-langenscheidt.com/portfolio-deutsch

1. Auflage   1 6 5 4 3 2 | 2017 16 15 14

© Klett-Langenscheidt GmbH, Munich, 2013
First published in 2012 by Langenscheidt KG, Munich

Printed in USA by Courier

ISBN 978-3-12-606352-4

Classwork
Content

My Portfolio

1

We will learn:
talking about free time | making suggestions | expressing assumptions
dependent clause before main clause | subjunctive: *würde, hätte* | separable verbs in a dependent clause
verbs with prepositions

Was ist los?

1 Das mache ich gern.

a Look at the pictures and read the statements:
Which ones match? Why?

Mein Tag ist voll mit Schule und Üben.
Wenn man gut Geige spielen will, muss
man täglich ein paar Stunden üben. Und
dann gibt es noch Proben im Orchester.
Meine Freunde treffe ich meistens im
Internet. *(David Kramer)*

Kino ist gut, sogar sehr gut. Aber wenn wir wie
heute einen DVD-Abend machen, unterhalten
wir uns über alles. Über was genau? Das möchten
die Jungs und meine Eltern auch immer gern
wissen ;-)) *(Katrin Toplak)*

Ich treffe meine Kumpels auf dem Marktplatz:
Tricks auf dem Skateboard und abhängen. Das
brauche ich nach der Schule. Da machen die
Lehrer immer nur Stress oder es ist total langweilig. *(Dirk Fischer)*

Sport ist wichtig für mich. Ich trainiere
Volleyball und bin im Schwimmclub.
Shoppen und dann mit den Freundinnen
im Café quatschen, das mache ich auch
gern, aber ein, zwei Mal im Monat ist
genug. *(Nina Constantinescu)*

*Das Foto ganz links ist von Katrin.
Sie und ihre Freundinnen sehen einen
Film an.*

b What do you do in your free time? Collect words and expressions.

ausgehen   faulenzen   DVDs sehen

(Freunde)   (Freizeit und Hobbys)   (Unterhaltung)

Spaß haben   shoppen   Konzerte besuchen

c Listen to the radio interview with these four students. What do they not like?
1.2   Write notes in your notebook.

David	Katrin	Nina	Dirk

2 Wenn ich Zeit habe, ...

a What does Dirk like to do the most? Which options fit? Match accordingly.

1. Wenn ich meine Freunde treffen will,
2. Wenn das Wochenende kommt,
3. Wenn meine Freunde ins Kino gehen,
4. Wenn ich meine Ruhe haben will,
5. Wenn ich nicht allein sein will und mit jemandem reden möchte,
6. Wenn die Ferien beginnen,

A bleibe ich in meinem Zimmer und höre Musik.

B dann gehe ich nicht mit. Das mag ich nicht.

C dann fahre ich zum Skaterplatz.

D faulenze ich zuerst ein paar Tage.

E freue ich mich, dass ich zwei Mal lange schlafen kann.

F dann rufe ich einen Kumpel an.

1 – C, 2 –

b What do you do? Complete the sentences with *wenn* from 2a.

wenn dann

1. Wenn ich meine Freunde treffen will, dann schreibe ich eine SMS an alle.
2. Wenn das ...

dependent clause before main clause
Ich (schlafe) lange.
Wenn die Ferien beginnen, dann (schlafe) ich lange.
Ich (fahre) Skateboard.
Wenn die Schule aus ist, (fahre) ich Skateboard.

"Dann" often follows "wenn".

3 Wenn ..., dann ...

Work in groups. Each person writes two sentences with *wenn* on notecards. Collect and mix up the cards. The first person draws a card. Everyone completes the sentence. Decide which answer you like the most. The student with the best answer draws the next card.

... dann bekomme ich Fieber und muss sofort nach Hause.

Wenn ich in der Schule total müde bin, quatsche ich viel mit Freunden.

... trinke ich einen Kaffee.

... dann schlafe ich in Mathe.

4 Welcher Freizeittyp bist du?

a Which animal's characteristic is most like you? Explain why.

Ich mag es bequem.

Ich bin dabei.

Ich bin immer aktiv.

b Read the test. Which answers fit you? Write the answers in your notebook. Count up your points.

1. Wie oft siehst du in deiner Freizeit deine Freunde?

A Jeden Tag.
B 3–4 Mal pro Woche.
C 1–2 Mal pro Woche.

2. Was magst du am liebsten?

A Zu Hause sein und faulenzen.
B Mit Freunden unterwegs sein.
C Mein Hobby.

3. Freunde rufen dich an. Sie wollen dich in einer halben Stunde treffen. Was sagst du?

A Super, ich ziehe mich nur schnell um!
B Ach schade, ich gehe schon bald schlafen!
C Heute geht es leider nicht, aber kommt doch morgen bei mir vorbei!

4. Deine Cousine besucht dich. Sie möchte die Stadt kennenlernen. Was empfiehlst du ihr?

A Keine Ahnung, ich bin am liebsten zu Hause.
B Ich frage meine Eltern und gehe dann mit meiner Cousine zusammen.
C Ich plane gleich eine Stadttour. So kann sie vieles sehen.

5. Wenn du deinen Traumurlaub machst, …

A fährst du in eine neue Stadt und siehst viel an.
B bist du mit deinen Freunden zusammen und es ist immer Party.
C fährst du am liebsten mit deiner Familie an einen Strand.

6. Wenn deine Freunde etwas unternehmen und dich fragen, …

A machst du fast immer mit.
B kommst du nur selten mit.
C hast du selbst immer noch andere, bessere Ideen.

Frage 1	Frage 2	Frage 3	Frage 4	Frage 5	Frage 6
A 15 Punkte	A 5 Punkte	A 15 Punkte	A 5 Punkte	A 10 Punkte	A 10 Punkte
B 10 Punkte	B 15 Punkte	B 5 Punkte	B 10 Punkte	B 15 Punkte	B 5 Punkte
C 5 Punkte	C 10 Punkte	C 10 Punkte	C 15 Punkte	C 5 Punkte	C 15 Punkte

1.3

c Form 3 groups. Listen to the descriptions. Each group writes down a type and its characteristics.

Typ Katze: bequem, …

d What do you think of your results? Discuss in class.

Das Ergebnis passt (genau/nicht) zu mir. • Die Beschreibung trifft (überhaupt nicht) auf mich zu. • Der Test stimmt für mich (nicht).

Ich glaube, mein Ergebnis passt ziemlich genau zu mir.

Ich habe 60 Punkte. Aber …

5 Was machen wir?

a Which advertisement fits? Read the situations and find a suitable advertisement. Write X if there is no matching advertisement.

1. Du möchtest mit deinen Freunden tanzen gehen, weil du deinen 13. Geburtstag feierst.
2. Deine Freundin interessiert sich dafür, was ein Radio-DJ können muss.
3. Du würdest gern mit Freunden klettern. Deine Eltern geben dir 15 Euro und bringen dich hin.
4. Die CD hat dir gut gefallen. Jetzt möchtest du die Musikerin live sehen und hören.
5. Du würdest am liebsten mit Freunden shoppen und dann ins Kino gehen.
6. Du möchtest mal Klettern ausprobieren. Du hast keine eigenen Klettersachen.
7. Du machst gern Musik. Du würdest gern in einer Band mitspielen.
8. Du möchtest einmal Schauspieler werden und suchst ein Angebot zum Schnuppern.

1 – X; 2 –

A

FREIes RADio Hausen

Möchtest du RadiomacherIn auf FreiRad 105.9 werden? Oder interessierst du dich einfach nur für Radio?

12-stündiger Kurs, Beginn: Sa. 8.5., weitere Termine 25.5. und 29.5., jeweils 9.00–13.00 Uhr. Voraussetzung: Du bist 14 Jahre alt und deine Eltern sind einverstanden.
Formular zum Download unter **www.freiesradio.de**

B

Eventhaus: Yippi Yeah Clubbing

Yippi Yeah Clubbing: Jeden Samstag ab 19:00 Uhr im EVENTHAUS. Auf dem Clubfloor beste House- und R'n'B-Musik, tanzen, tanzen, tanzen. Mindestalter 14 Jahre. Ausweiskontrolle. Tickets im Vorverkauf 9,- €.

C

Anna F. auf Tournee

Das erste Album von **Anna F.** ist da! Im Mai geht der neue Star auf Tournee – und kommt auch nach Regensburg.

Termin: Sa., 22. Mai im Weekend Club, Tickets mit Schülerausweis für 22 € bei www.konzertannaF.de

D

Klettergarten im alten Steinbruch

Adrenalin pur!
Klettern von 0,5 bis 14 m Höhe, über 100 verschiedene Routen. Für Personen ab 120 cm. Attraktive Preise ab 7,- €.

Mindestalter 12 Jahre, Ausweis mitbringen. Ein Elternteil muss unterschreiben, wenn du noch nicht 18 Jahre alt bist.

E

Festival der Jugendbands

Verschiedenste Musik von jungen Bands, Open Air am Grillplatz in Lerchenau. 19 Bands und ein Ziel: Spaß und Stimmung. Achtung, einige Bands suchen neue Musiker.
Sa. 15. Mai bei gutem Wetter. Ersatztermin 29. Mai.

Nähere Informationen:
www.lerchenauopen.com
Informationen: info@lerchenauopen.com

F

Alpinschule Hoheneck

Klettern lernen am Berg
Kurse für Anfänger. Nur sportliche Kleidung erforderlich, die Ausrüstung für dich haben wir. Kinder unter 12 Jahren nur in Begleitung von einem Elternteil.
Beginn: Freitag 16. Mai, 14.00–17.00 Uhr
35 € pro Nachmittag
www.hoheneckalpin.de

b Listen to the conversation. What do the boys like? What are they doing?

● Was ist denn am Wochenende los?
○ Ich hätte Lust auf ein Konzert. Es gibt so ein Festival mit Bands.
● Meinst du das am Grillplatz? Ich weiß nicht, ich würde lieber klettern.
○ Ich war schon mal im Klettergarten. Es ist nicht so toll dort. Da würde ich nicht so gern hingehen.
● Hättest du Lust auf Klettern am Berg? Ich würde das gern ausprobieren. Morgen Nachmittag vielleicht.
○ Oh ja, das würde ich total gern mal machen. Vielleicht kann mein Vater uns hinbringen. Ich frage ihn mal …

c Act out a conversation like in 5b with a partner. The program from 5a helps.

Ich hätte Lust auf … ● Hättest du auch Lust auf …? ● Ich hätte am … Zeit. Du auch? ● Ich würde gern … gehen. ● Würdest du gern … mitkommen? ● Würde dir … Spaß machen?

making suggestions with the subjunctive

Ich (würde) gern in die Kletterhalle (gehen).
(Würdest) du gern (mitkommen)?
(Hättest) du auch Lust?

Ich würde gern auf das Festival gehen.

Wirklich? Ich …

6 Ich weiß nicht …

▶TM **Play with three players. The first player rolls the die and makes a suggestion. The second player is against it and says why. The third player contradicts the second. The next player rolls, makes a suggestions etc.**

⚀ = Hättet ihr Lust auf …?   ⚄ = Ich würde gern …   ⚅ = Möchtet ihr …?
⚁ = Ich hätte …   ⚃ = Wir könnten …   ⚅ = Ich schlage vor, dass …

Hättet ihr Lust auf ein Konzert von „Papermoon"?

Ich weiß nicht, das würde sicher sehr viel kosten.

Nein, das Konzert kostet für Schüler nur 7 Euro!

7 Nachricht aus Japan

a Read the forum entry and answer the questions.

Hallo!
Ich heiße Keiko und wohne in Osaka in Japan. Ich bin 14 Jahre alt. Weil mein Vater für ein Jahr in Deutschland arbeitet, komme ich in vier Wochen in eure Klasse. Ich bin neugierig, wie die Schule bei euch ist. Ich möchte viel sehen, wenn ich in Deutschland bin. Ich hoffe, dass ich neue Freunde kennenlerne. Und ich bringe ein paar kleine Sachen aus Japan mit. Überraschung ;-)
Bis bald,

Tashigi x Tsuno | Keiko

1. Woher kommt Keiko?
2. Warum kommt sie in die Klasse?
3. Wie lange bleibt sie in Deutschland?

4. Wann kommt Keiko in die Klasse?
5. Was möchte sie in Deutschland machen?
6. Was bringt sie mit?

b What do you think: Why does Keiko speak such good German? Where and how did she learn?

Ich glaube, dass Keiko schon einmal in Deutschland gelebt hat.

Vielleicht …

 c What is the new classmate like? What would you like to know? Write 3 sentences.

Wie sieht Keiko aus? • Was für Klamotten zieht sie an? • Welche Hobbys hat sie? •
Was isst sie am liebsten? • Was sieht sie sich in Deutschland an? • Wann kommt sie an? •
Was bringt sie aus Japan mit? • Wann geht sie wieder zurück?

Ich möchte wissen, …
Mich interessiert, …
Ich bin neugierig, …

Ich möchte wissen, was für Klamotten sie anzieht.

separable verbs in a dependent clause		
	Wie sieht Keiko aus?	
Ich möchte wissen,	wie Keiko aussieht.	
	Was bringt Keiko mit?	
Mich interessiert,	was Keiko mitbringt.	

8 Satzmelodie

1.5

a What is the intonation like? Rising 👍, falling 👎 or remaining steady 👉? Show the intonation.

1.6

b Read silently, then out loud. What is the intonation like? Listen to check.

● Kommst du mit 👣

○ Ja, gern 🐾 Das ist eine tolle Idee 🐾
○ Moment 🐾 wenn ich Zeit habe 🐾 dann komme ich mit 🐾
○ Ich weiß es noch nicht 🐾 Das muss ich mir noch überlegen 🐾

● Weißt du 🐾 wann der Bus fährt 🐾

○ Um 10 nach sieben 🐾
○ Wenn die Schule aus ist, 🐾

9 Post für Keiko

a Read the messages. Which verb fits in the sentences? Write the sentences.

Naddi2408

Hallo Keiko!
Ich finde schön, dass du in unsere Klasse kommst. Und ich hätte eine Bitte:
Ich interessiere mich sehr für Mode in Japan. Was ist gerade „in" bei euch?
Könntest du mir ein paar kleine Kataloge oder Prospekte mitbringen?
Ich würde mich soooo freuen! Wenn nicht, dann ist es auch kein Problem.
Bis bald!
Nadja

unbekannt

Liebe Keiko,
wir freuen uns auf dich. Die ganze Klasse wartet schon gespannt. Wenn du
da bist, kannst du uns viel vom Leben in Japan erzählen. Bring bitte Musik
aus Japan mit. Meine Schüler diskutieren so gern über Musik, besonders die
Jungen. Sie reden immer über ihre Lieblingsbands.
Gute Reise!

Helga Müller, Klassenlehrerin

1. Wir
2. Die ganze Klasse
3. Keiko
4. Nadja
5. Die Schüler
6. Die Jungen

diskutieren so gern
erzählt viel
freuen uns
wartet schon
reden immer
interessiert sich

auf dich.
auf Keiko.
vom Leben in Japan.
für Mode.
über Musik.
über ihre Lieblingsbands.

*1. Wir freuen uns
auf dich.*

 b What applies to you? Write a sentence for each expression.

sich freuen auf (+ acc.) • warten auf
(+ acc.) • reden über (+ acc.) • sich
interessieren für (+ acc.) • erzählen von
(+ dat.) • träumen von (+ dat.)

verbs with prepositions
sich freuen auf + accusative:
Ich freue mich auf mein**en** Geburtstag.

erzählen von + dative:
Ich erzähle von mein**em** Wochenende.

Always memorize a sentence:
*Ich warte **auf dich**.*
*Ich träume **von dir**.*

Ich freue mich auf das Wochenende.

10 Eine Gruppengeschichte
 Write a story together.

Work in groups of 5-6 students. Each person writes a
sentence with a verb from 9b on a sheet of paper. Then
you give your sheet to the next person. Each person
continues writing the story. When you have written the
2nd sentence, fold back the first and give the sheet to
the next person and so on. When everyone has written
a sentence on each sheet, read the texts aloud.

Kannst du das schon?

über Freizeit sprechen

- Freunde: Freunde treffen | ausgehen | Spaß haben | abhängen | quatschen | chatten | …
- Freizeit und Hobbys: faulenzen | shoppen | ein Instrument spielen | Sport machen | …
- Unterhaltung: Filme/DVDs ansehen | Computerspiele spielen | fernsehen | in ein Konzert gehen | im Internet surfen | …

Talking about free time
What can you do in your free time?
Write three activities each: friends, free time and hobbies, entertainment

Vorschläge machen mit Konjunktiv II

● Ich würde gern klettern. Hättest du auch Lust?
○ Ich weiß nicht, ich würde lieber faulenzen.

▶ Ich möchte tanzen. Möchtest du auch mitkommen?
▷ Ich bin sehr müde. Ich würde lieber eine DVD ansehen.

■ Es gibt ein Konzert von Anna F. Ich hätte Zeit, du auch?
□ Nein, ich mag die Musik nicht. Ich würde lieber fernsehen.

Making suggestions
Make three free time suggestions:
– klettern
– tanzen
– ins Konzert gehen

Vermutungen ausdrücken

- Ich glaube, dass Keiko in Deutschland gelebt hat. Vielleicht hat sie mit ihrer Mutter nur Deutsch gesprochen.
- Ich denke, dass ihr Vater in Deutschland arbeitet. Vielleicht möchten die Eltern in Deutschland leben.
- Vielleicht bringt Keiko japanische Souvenirs mit. Ich glaube, dass sie typisches Essen mitbringt.

Expressing assumptions
Was glaubt ihr?
Warum spricht Keiko gut Deutsch?
Warum kommt sie nach Deutschland?
Was bringt Keiko mit?

Nebensatz vor Hauptsatz

- Wenn ich müde bin, dann lege ich mich vor den Fernseher.
- Wenn ich Ferien habe, schlafe ich lange und faulenze.
- Wenn ich krank bin, dann bin ich am liebsten allein.

Dependent clause before main clause
Make three sentences with wenn:
müde sein, Ferien haben, krank sein

Verben mit Präpositionen

- Ich freue mich auf meinen Geburtstag.
- Mein Freund hat mir von seinen Ferien erzählt.
- Ich habe so lange auf dich gewartet. Wo warst du?
- Ich habe von Ferien am Meer geträumt.

Verbs with prepositions
Write sentences:
sich freuen auf, erzählen von, warten auf, träumen von

trennbare Verben im Nebensatz

- Weißt du, wann Keiko ankommt?
- Ich möchte wissen, was Keiko mitbringt.
- Ich bin neugierig, wie Keiko aussieht.
- Mich interessiert, was Keiko anzieht.

Separable verbs in a dependent clause

Make these questions indirect:
Wann kommt Keiko an?
Was bringt Keiko mit?
Wie sieht Keiko aus?
Was zieht Keiko an?

- Überraschung!
- Ich bin dabei.
- Gute Reise!

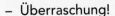 Überraschung!

2

We will learn:
talking about new classmates | making suggestions: Er *sollte* ... | reading a blog
relative clauses in the nominative and accusative | subjunctive: *sollte* and *wäre* | unreal sentences with *wenn*

Ich bin neu hier.

1 Pausengespräche

a Describe the picture. What are the people talking about?

Ich liebe japanische Popmusik.

Total coole Kleidung tragen sie dort.

Ich hätte lieber einen Gastschüler aus Amerika.

 b Listen to the conversations. What perceptions do the girls have about the exchange student, and what perceptions do the boys have?

1.7

klassische Musik hören • Popmusik hören • mit Schuluniform zur Schule kommen •
total moderne Kleidung tragen • geschmacklose Kleidung tragen • klein und langweilig •
schlank und hübsch • nett und süß aussehen • eine Mode-Tussi • Karaoke singen

Die Mädchen glauben, dass die Japanerin total moderne ...

Die Jungen denken, die Japanerin hört ...

Ein Mädchen denkt, ...

c Combine the sentence segments. The picture in 1a is helpful. Listen to check.

 1. Kolja ist der Junge,   A der lieber einen Gastschüler aus Amerika hätte.

 2. Anna ist das Mädchen,   B der Gastschüler langweilig findet.

 3. Keiko ist die Japanerin,   C das gerne J-Pop hört.

 4. Das ist der Schüler,   D die ins Forum geschrieben hat.

2 Austauschschüler

a Who says what? Match the speech bubbles with the photos.

> 1. Wir gehen bald für ein Jahr ins Ausland. Heute haben wir einen Infotag.

> 2. Meine Gastfamilie mag ich sehr. Ich spreche auch schon ganz gut Deutsch.

> 3. Ich komme aus Australien und surfe gern.

> 4. Ich möchte gern einen Austausch machen. Die USA finde ich toll.

b Complete with the information from the speech bubbles.

A *Hier spricht die Austauschschülerin, die ihre Gastfamilie sehr mag.*
B *Hier spricht das Mädchen, ...*
C *Hier spricht der Austauschschüler, ...*
D *Hier sprechen die Schüler, ...*

relative clauses in the nominative

der Schüler	Das ist der Schüler, **der** aus Australien ⟨kommt⟩.
das Mädchen	Das ist ein Mädchen, **das** gerne J-Pop ⟨hört⟩.
die Japanerin	Das ist die Japanerin, **die** ins Forum geschrieben ⟨hat⟩.
die Schüler	Das sind **die** Schüler, **die** ins Ausland gehen ⟨wollen⟩.

3 Unsere Klasse, unsere Lehrer, unsere Fächer

▸TM **a** Work in pairs. Make six cards. Write a sentence with a relative clause on each card. Cut the main clause and the relative clause apart. Then cut off the relative pronoun.

> Physik ist das Fach,   das   am langweiligsten ist.

... ist das Fach, ...	am langweiligsten/interessantesten/... sein
... ist der Schüler / die Schülerin, ...	am besten malen/laufen/singen/... können
... ist der Lehrer / die Lehrerin, ...	sehr nett/lustig/laut/beliebt/... sein
... sind die Lehrer/Lehrerinnen ...	noch nicht so lange in unserer Klasse sein
	am coolsten/beliebtesten/witzigsten/... sein

b Mix your cards and trade them with another group. Combine the sentences and add the relative pronouns. Check each other's work.

2

4 Manuel ist in Spanien.

a Read Manuel's blog. Does he like Spain? What does he think of his host family?

Mein Spanienblog

1. September, 23:30 Uhr

Nach drei Tagen in Barcelona bin ich endlich bei meiner Gastfamilie in Cádiz. Bei meiner Ankunft am Flughafen haben alle gleichzeitig geredet und gefragt. Hilfe! Ich hab' echt gar nichts verstanden! Sie sprechen ganz anders als unser Lehrer in Deutschland.
5 Alejandro ist mein Gastbruder, den ich ganz cool finde. Er ist 14 und surft gern, genau wie ich. Zur Familie gehören noch Elsa, meine Gastmutter, Ramón, mein Gastvater, und Alejandros Oma Conchita, die ich überhaupt nicht verstehe. Sie spricht so schnell und undeutlich. Macht aber nichts. Sie ist superlieb.
Morgen beginnt die Schule! Wie das wohl wird?

9. September, 21:30 Uhr

Endlich Wochenende und so eine Hitze (38 °C)!!! Das könnt ihr euch nicht vorstellen. Habe ausgeschlafen und zum ersten Mal Siesta gemacht! Später war ich mit Alejandros Cousin Darío und seiner Cousine Carmen am Strand surfen. Das war wie Ferien! Einfach nur cool. Alle hier sind total braun, nur ich bin noch
5 ziemlich weiß. Aber einige Mädchen finden das exotisch! Vielleicht sollte ich so blass und bleich bleiben. *grins*
Morgen gehe ich jedenfalls zum Frühstück mit ein paar Leuten aus meiner Klasse in die Innenstadt Churros essen. Das ist ein Gebäck, das ihr unbedingt mal probieren müsst. Es ist süß, fettig und richtig lecker!

2. Oktober, 17:45 Uhr

Jetzt bin ich schon einen Monat hier. Die Zeit vergeht echt schnell. Ich habe schon viele neue Freunde und es ist total genial hier in Cádiz. Meine Gasteltern sind wirklich super. Aber ein paar Sachen fehlen mir schon ein bisschen. Ja, ihr natürlich und das leckere Essen zu Hause. Ach, und die kleinen Streitereien mit meiner Halbschwester Hannah, die ich trotzdem ein bisschen vermisse.
5 Alejandro versteht das nicht – ein Einzelkind eben. Außerdem ist er manchmal voll eifersüchtig. Wenn Ramón und ich uns gut unterhalten, redet er den ganzen Tag nicht mehr mit mir. So ein Blödmann!

b Read the comments from Manuel's friends. Which parts of the blog did they comment on? Write the appropriate line numbers.

KOMMENTARE

1. Du solltest dich immer gut mit Sonnenmilch eincremen.
2. Das ist doch normal. Und bald sprichst du besser Spanisch als dein Lehrer in Deutschland. *lol*
3. Ja, ja, bei Mama schmeckt es eben am besten! ☺
4. Das habe ich auch schon mal in den Ferien gegessen. Lecker!!!
5. Alejandro sollte sich freuen, dass er so einen coolen Gastbruder hat. Der spinnt ja.

1. 9. September, Zeile 4–6

c Combine the sentences. Add the relative pronoun and write down the sentence.

1. Conchita ist die Frau,
2. Alejandro ist der Sohn von Elsa und Ramón,
3. Darío und Carmen sind Geschwister,
4. Die Mutter und Hannah sind Personen,
5. Churros ist ein Gebäck,

A … Manuel lange nicht treffen kann.
B … Manuel am Anfang nicht gut versteht.
C … Manuel richtig gerne isst.
D … Manuel am Strand kennengelernt hat.
E … Manuel sehr sympathisch findet.

1B Conchita ist die Frau, die Manuel am Anfang nicht gut versteht.

"Der" or "den"? Look at the verb in the relative clause.

relative clauses in the accusative

der Gastbruder	Alejandro ist mein Gastbruder, **den** ich gut verstehe.
das Gebäck	Churros ist ein Gebäck, **das** ich gern probiere.
die Oma	Das ist die Oma, **die** ich sehr mag.
die Geschwister	Das sind **meine** Geschwister, **die** ich vermisse.

5 Einen Blog, den ich gern lese

Write answers to the questions with a relative clause.

1. Was willst du schreiben?
2. Wen willst du am Wochenende besuchen?
3. Wen willst du zur Party einladen?
4. Wen willst du morgen anrufen?
5. Was willst du essen?

Vater • Tante • Halbbruder • Freundin(nen) • Freund(e) • Cousin(s) • Blog • Brief • E-Mail • SMS • Gebäck • Pizza • Kuchen

Oma/Opa/Freund schicken • schon lange kennen • Geburtstag haben • lange nicht getroffen haben • in den Ferien kennengelernt haben • in meine Klasse gehen • in der Cafeteria kaufen • sehr gut schmecken • gern lesen

1. Einen Brief, den ich Oma schicke.

6 Manuel braucht Rat.

a Which problems does Manuel have in Spain? List them on the board.

Manuel vermisst das Essen von …

b What should be done? Make suggestions.

Er sollte in ein deutsches Restaurant gehen.
Ich finde, seine … sollten …
Die Gastfamilie sollte …

making suggestions with sollte

er/es/sie	sollte
sie	sollten

c Are you familiar with similar situations, e.g. when you are on vacation or on a student exchange? Tell the class.

Ich war mal mit meinen Eltern in … Das Essen war total …

2

7 Das ist Keiko.

a Look at the pictures and describe the situation. The box is helpful.

A *Das ist Keiko Tanaka.*

B *Hier ist noch ein Platz.*

C *Gibt es auch eine Cafeteria?* *Komm, Keiko!*

D *Robbie!* *Jungs.*

> begeistert sein • die Schule / die Cafeteria zeigen • in die Klasse kommen • bezahlen •
> einen Platz anbieten • Pause haben • vorstellen • die Geldkarte anbieten • einen Platz
> suchen • mit … sprechen • an der Kasse stehen • frei sein • fragen • sich freuen

Keiko kommt in die Klasse.

Frau Müller …

1.8

b Listen to the dialogs. What is true/false? Write your answers in your notebook.

1. Die Schüler sollen Keiko in der Pause die Schule zeigen.
2. Es sind noch ein paar Plätze frei, deshalb kann Keiko ihren Platz wählen.
3. Keiko bekommt den Platz neben Nadja.
4. Die Pause dauert eine halbe Stunde.
5. Pia und Nadja wollen Keiko in der Pause die Schule zeigen.
6. Anton will, dass Keiko in der Cafeteria ein Brötchen kauft.
7. Keiko will in der Cafeteria etwas kaufen, aber sie hat nicht genug Geld dabei.
8. Man braucht eine Geldkarte, wenn man in der Cafeteria etwas kaufen will.

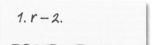

1. r – 2.

c In pairs, correct the incorrect sentences in your notebooks. Listen again to check.

8 Wenn ich Keiko heißen würde, …

1.9

a **Look at the picture and listen to the dialog between Pia and Nadja. What are they thinking?**

Pia und Nadja sind sauer. Sie denken, …

b **What matches? Listen again to check your answers.**

1. Wenn ich Keiko heißen würde, …

2. Wenn ich neu in der Klasse wäre, …

3. Wenn ich eine Frage hätte, …

4. Wenn ich keinen kennen würde, …

A … würde ich zu Frau Müller gehen oder die anderen Mädchen fragen.

B … dann würde ich mir zuerst eine Freundin suchen.

C … würde ich meinen Namen ändern.

D … würde ich nicht so ausgeflippte Kleidung anziehen.

c **Read the sentence beginnings. What might come next? Think it over in pairs. Complete the sentences in your notebook.**

1. Wenn ich Nadja wäre, …
2. Wenn Robbie Keiko zum Eis einladen würde, …
3. Wenn Robbie sich bei Nadja entschuldigen würde, …
4. Wenn du eine Freundin wie Nadja hättest, …
5. Wenn wir in Keikos Klasse wären, …
6. Wenn die Klasse nicht nett zu Keiko wäre, …

Wenn ich Nadja wäre, dann wäre ich total sauer auf Robbie.

subjunctive of *sein*	
ich	wär**e**
du	wär**st**
er/es/sie	wär**e**
wir	wär**en**
ihr	wär**t**
sie/Sie	wär**en**

9 Die/Der Neue

What would you do if a new classmate came to your class? What would the new classmate need to know? What would you show him/her? Collect ideas and discuss as a group.

– die Stadt zeigen
– alles über die Lehrer erzählen
– zum Schulkonzert gehen
– …

Wenn wir eine neue Mitschülerin hätten, würden wir ihr die Stadt zeigen.

Wenn ein neuer Mitschüler in unsere Klasse kommen würde, würden wir ihm alles über unsere Lehrer erzählen.

2

 10 Umlaute *ä, ö, ü*

 a Make two cards. Write A on one and B on the other. Then listen to the words
1.10 and show the correct card.

1. A hatte B hätte	4. A konntest B könntest	7. A Garten B Gärten
2. A waren B wären	5. A schon B schön	8. A Bruder B Brüder
3. A jung B jünger	6. A Schule B Schüler	9. A Apfel B Äpfel

b Listen to the sentences and repeat.
1.11

1. Wenn ich fünf Jahre älter wäre, würde ich in viele schöne Länder reisen.
2. Wenn ich kein Schüler wäre, hätte ich keine blöden Fächer mehr.

11 Die beliebtesten Austauschländer

a Where would you like to spend an
exchange year? Make a chart with
the class's favorite countries.

> Japan III   Peru IIII

b How popular are these countries amongst German exchange students? What
do you think? Match the countries.

	Austauschschüler pro Jahr	Land
Platz 1	8754	
Platz 2	1870	
Platz 3	1183	
Platz 4	1021	
Platz 5	508	
Platz 6	354	
Platz 7	340	
Platz 8	254	
Platz 9	193	
Platz 10	180	

> USA • Spanien • Großbritannien •
> Neuseeland • Irland • Australien •
> Brasilien • Kanada • Argentinien •
> Frankreich

> Platz 1: USA

6. Frankreich; 7. Irland; 8. Argentinien; 9. Brasilien; 10. Spanien
1. USA; 2. Kanada; 3. Neuseeland; 4. Australien; 5. Großbritannien;

12 Austauschjahr in meinem Traumland

Imagine you went for a year as an exchange student to a foreign country and
attended a new school. You would also live with a host family. Write an essay.
The questions are helpful.

– In welches Land würdest du gehen?   – Welche Stars kennst du aus dem Land?
– Was gefällt dir an dem Land?   – Wen würdest du gerne treffen?
– Was würdest du dort gerne anschauen?   – Wie/Wo würdest du gerne wohnen?
– Was würdest du gerne essen oder probieren? – Welchen Sport würdest du dort gerne machen?

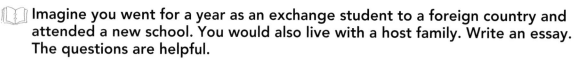

> Argentinien ist mein Traumland. ▬ Wenn ich Austauschschüler wäre,
> würde ich ein Jahr nach Argentinien gehen. Ich würde …

Kannst du das schon?

über neue Mitschüler sprechen

- Wenn wir einen neuen Mitschüler / eine neue Mitschülerin hätten, würden wir ihm/ihr alles über die Lehrer erzählen.
- Wir können ihm/ihr die Stadt / die Schule / die Cafeteria zeigen.
- Wir können ihn/sie zu einer Party einladen.
- Er/Sie ist bestimmt nett / modisch angezogen / langweilig …

Talking about new classmates

Answer the questions:
Was würdet ihr machen, wenn ihr einen neuen Mitschüler hättet?
Wie ist der neue Mitschüler vielleicht?

Relativsätze im Nominativ

- Das ist der Schüler, der nie Geld hat.
- Das ist die Lehrerin, die neu in der Schule ist.
- Das ist das Gebäck, das sehr lecker ist.
- Das sind die Schülerinnen, die sehr nett sind.

Relative clauses in the nominative

Combine the sentences with a relative clause.
Das ist der Schüler. Er hat nie Geld.
Das ist die Lehrerin. Sie ist neu in der Schule.
Das ist das Gebäck. Es ist sehr lecker.

Relativsätze im Akkusativ

- Das ist der Schüler, den alle Mädchen toll finden.
- Das ist meine Schwester, die ich nur selten sehe.
- Das ist das Fach, das ich gar nicht mag.
- Hier sind viele Spanier, die ich nur schwer verstehe.

Relative clauses in the accusative

Fill in the relative pronouns.
Das ist der Schüler, _____ alle Mädchen toll finden.
Das ist meine Schwester, _____ ich nur selten sehe.
Das ist das Fach, _____ ich gar nicht mag.

Vorschläge machen mit sollte

- Er sollte ein Wörterbuch mitnehmen.
- Er sollte Geschenke mitbringen.
- Seine Eltern sollten ihm genug Taschengeld geben.
- Er sollte einen Blog schreiben.
- Er sollte eine gute Kamera kaufen.

Making suggestions with *sollte*

A friend is doing an exchange year soon. Make 3 suggestions.

irreale wenn-Sätze

- Wenn ich neu in einer Stadt wäre, …
  … würde ich in einen Sportverein gehen.
  … würde ich meine alten Freunde vermissen.
- Wenn ich neu in einem Land wäre, …
  … würde ich viele interessante Sachen essen.
  … hätte ich ein bisschen Angst.

Unreal sentences with *wenn*

Was wäre, wenn ihr neu in einer Stadt / in einem Land wärt?
Write 3 sentences.

- Wie das wohl wird?
- Das könnt ihr euch nicht vorstellen!
- Ich hab' echt gar nichts verstanden!
- So eine Mode-Tussi!

Wie das wohl wird?

3
We will learn:
living arrangements | discussing neighborhoods | agreeing and contradicting
indefinite numerals: *alle, viele* ... | relative clauses with *wo* | indefinite pronouns: *irgendwer, irgendein* ...

Wohnwelten

1 Wohnwelten

a **Look at the photos. Which text fits?**

A Nicht jede Höhle
ist nass und kalt.
Hier lebt man
trocken und sehr
gemütlich.

C Immer schwimmen
und doch nie im
Wasser: Hausboot
auf dem Alsterkanal
in Hamburg.

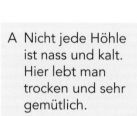

B Eine halbe Stunde
bis zum nächsten
Nachbarn: Ruhiges
Wohnen in der
Almhütte.

D Ein Baumhaus
3 m über der
Erde: Nichts für
Leute mit Höhen-
angst!

E Großraumwohnung
mit einer besonderen
Atmosphäre: Diese
Wohnung war früher
eine Kirche.

*Zu Bild 1 passt E.
Das ist eine Kirche.*

b **Where would you like to live? Choose photos or add your own ideas.**

Ein Hausboot wäre toll!

*Ich möchte in einer großen
Wohnung in New York wohnen.*

c **Listen: Why do the people like their house? What do the others think? Match the statements.**

1.12

1. Wir haben viel Platz, wir lieben diesen langen, hohen Raum.
2. Die Ruhe in meinem Baumhaus ist herrlich, keine Nachbarn außer Vögel.
3. Im Höhlenhaus ist es angenehm kühl, wenn es draußen heiß ist.
4. Wir haben auf dem Hausboot alles und es schaukelt so schön.
5. Mein Opa lebt in seiner Almhütte. Es gibt viel Wald und viele Berge.

A Alle Freunde glauben, dass es in unserem Haus sehr dunkel ist.
B Aber ein paar Freundinnen sagen, es ist unheimlich, hier zu schlafen.
C Ich kann nicht lange dort bleiben, es ist so langweilig. Viele Kühe und sonst nichts!
D Man sollte nicht in einer Kirche wohnen, denken einige Leute.
E Es ist schrecklich ohne Wasser und Strom, findet mein Sohn.

d **Where would you not like to live? Why? Write at least three sentences.**

Ich möchte nicht, dass mein Haus immer schaukelt. Außerdem...

2 **Wie viele Leute leben da?**

a **Read the text. Complete the sentences.**

Gramais – nie gehört?
Kein Wunder, denn Gramais ist das kleinste Dorf Österreichs. Alle Einwohner passen in einen großen Bus, denn es wohnen nur wenige Leute in Gramais, circa 60 Personen. Die wenigen Kinder, die dort leben, besuchen im Nachbardorf den Kindergarten oder die Schule. Einige Leute wohnen in neuen Einfamilienhäusern. Alle anderen Häuser sind alte Bauernhöfe. Es gibt kaum Arbeit im Ort, darum gehen viele junge Leute weg.

1. Alle Einwohner …
2. Einige Leute …
3. Die wenigen Kinder …
4. Viele junge Leute …

Alle Einwohner passen in einen großen Bus.

b **Where and how do the people live? Match the words.**

der Wohnblock • die Großstadt • das Hochhaus • das Reihenhaus • das Einfamilienhaus • die Stadt • der Stadtrand • das Dorf • die Wohnung • das Zentrum • der Bauernhof

Orte	Wohnformen
das Dorf	das Einfamilienhaus

c **Where do few, some … students from your class live? Collect on the board.**

im Hochhaus	III
im Zentrum	

Wenige Schüler wohnen im Hochhaus, nur drei von uns.

indefinite numerals
Alle Schüler wohnen bei den Eltern.
Viele Schüler wohnen in der Stadt.
Einige Schüler leben im Zentrum.
Wenige Schüler leben auf dem Dorf.

3

3 Wo wir wohnen

a Look at the photos and consider: What kinds of things do people have there? What do they probably not have? In pairs, write down notes for each picture.

1

Foto 1:
– viel Verkehr
– ...

Foto 2:
– kein Kino
– ...

2

b Read the newspaper article. Which photo from 3a fits with which text segment? Complete your notes with the information from the text.

Einfamilienhäuser mit großen Gärten, wenige Autos auf den Straßen, ein paar Bäckereien, Metzgereien und Supermärkte, Kindergärten, eine Grundschule, ein Sportverein und ein Reitverein: Das ist Tangstedt, ein kleiner Vorort, ca. 10 km nördlich von der Millionenstadt Hamburg. Hier wohnen ungefähr 6000 Menschen.

Viele Bewohner fahren jeden Morgen nach Hamburg, wo sie arbeiten und wo auch viele Kinder und Jugendliche zur Schule gehen. Einige Eltern bringen ihre Kinder auf dem Weg zur Arbeit mit dem Auto zur Schule, aber die meisten fahren mit dem Bus. Diese fahren allerdings nur alle 40 Minuten und abends nur noch alle zwei Stunden. „Wenn ich abends einen Bus verpasst habe, muss ich meine Eltern anrufen. Sie müssen mich abholen, denn ein Taxi ist zu teuer. Meine Eltern sind dann ganz schön sauer. Außerdem gibt es hier keinen Sportverein, wo ich Karate machen kann. Ich muss zum Training immer weit fahren", erzählt Linus M. (15).

Dagegen ist Wandsbek ein Ort, wo man kein Auto braucht. Es gibt viele Busse, U- und S-Bahnen, die am Wochenende sogar die ganze Nacht fahren. Wandsbek ist ein Stadtteil von Hamburg, wo 32500 Menschen leben.

Einfamilienhäuser mit eigenen Gärten gibt es hier kaum. Die meisten Familien wohnen in einer Wohnung, in einem Hochhaus oder in einem Wohnblock. Frank L. (16) wohnt mit seiner Familie dort und er findet: „Einen Garten brauche ich nicht. Wir gehen in den Park um die Ecke und grillen im Sommer dort. Aber ein größeres Zimmer hätte ich gern. Unsere Wohnung ist viel zu klein." Dafür gibt es in Wandsbek fast alles: Schulen, Ämter, ein Krankenhaus, Sportvereine, Kinos, Kioske, ein großes Einkaufszentrum, ein Schwimmbad und vieles mehr. Was es hier nicht gibt? Ruhe! Wandsbek ist ein Ort, wo immer etwas los ist.

c Read the text again. Match.

1. Wandsbek ist ein Stadtteil von Hamburg,
2. Hamburg ist eine Stadt,
3. Tangstedt ist ein Ort,
4. In Tangstedt gibt es einen Verein,
5. Im Zentrum von Wandsbek gibt es einen Park,

A wo die Familien ihre eigenen Häuser haben.
B wo es viele Freizeitmöglichkeiten gibt.
C wo man im Sommer grillen kann.
D wo man reiten kann.
E wo über eine Million Bürger leben.

> *1B Wandsbek ist ein Stadtteil von Hamburg, wo es viele ...*

4 Wohnorte

What is (isn't) there in your neighborhood? What would you like to have nearby? Choose and create relative clauses with wo.

Ich wohne in einem Ort, …
Ich wohne in einer Stadt, …
Ich hätte im Dorf gern ein Café, …
Ich hätte in … gern ein/eine …
…

> Es gibt (k)einen Sportverein / (k)ein Kino/Theater/Café/… • Es ist alles/nichts in der Nähe. • Man kann auch/nicht allein unterwegs sein. • Man kann Eis essen / Freunde treffen / … • Man braucht die Eltern (nicht) als Fahrer. • Es gibt (keine) Abgase/Staus/... • Man hat viele/wenige Freizeitmöglichkeiten. • Es gibt viel/wenig Natur. • Man hat viel/wenig Platz. • …

> *Ich wohne in einem Ort, wo alles in der Nähe ist.*
> *Ich hätte im Ort gern ein Café, wo es leckeres Eis gibt.*

	relative clauses with wo	
Wir wohnen	in einem Ort, in einem Dorf, in einer Stadt, in Städten,	**wo** es sehr schön (ist).

5 Schwierige Wörter aussprechen

a Listen and speak along.

1.13

das Haus	das Einfamilienhaus	in einem Einfamilienhaus leben
die Stadt	die Millionenstadt	in der Millionenstadt Hamburg wohnen
das Zentrum	das Einkaufszentrum	in ein großes Einkaufszentrum gehen

b From simple to difficult. Put the expressions in order like 5a. Read the rows.

> die Wohnung • das Hausboot auf dem Kanal • viele Freizeitmöglichkeiten •
> das Boot • in einer Großraumwohnung leben • das Hausboot • die Großraumwohnung •
> die Möglichkeiten • viele Freizeitmöglichkeiten haben

> *die Wohnung   die Großraumwohnung   …*

c Check your answers with the CD. Speak along.

1.14

3

6 Wohnen im Dorf oder in der Stadt

a What do you prefer: a small town or the city?

	Vorteile	Nachteile
im Dorf	– ein eigenes Haus mit Garten – ein eigenes, großes Zimmer	...
in der Stadt	...	– sehr laut

b Which place is better for students? What do you think? Write in your notebook.

> Ich finde … besser / nicht so gut, weil … • … ist für Jugendliche besser / nicht so gut,
> weil … • Ein großer Vorteil/Nachteil von … ist, dass … • Ich denke, Jugendliche
> brauchen (keine) … • … ist/sind für Jugendliche wichtig, weil …

*Ich finde Wohnen im Dorf besser, weil die Menschen ein eigenes Haus mit Garten haben.
Das ist für Jugendliche wichtig, weil …*

c Form two groups. One group is in favor of living in a small town, the other of living in the city. Discuss points 1-3 in your group.

1. Sammelt und besprecht eure Vorteile und Nachteile für das Wohnen im Dorf / in der Stadt aus Aufgabe 6a und b.
2. Verteilt eure Argumente. Jeder soll in der Diskussion etwas sagen.
3. Wie wollt ihr die Diskussion beginnen? Wer spricht als Erster?

▶TM **d** Now discuss as a class.

seine Meinung sagen	zustimmen	widersprechen
Ich finde, dass …	Ja, das finde ich auch.	Nein, das finde ich nicht.
Ich denke, dass …	Du hast recht.	Das stimmt doch nicht (ganz).
Ich glaube, dass …	Genau!	Das stimmt, aber …
Ich bin der Meinung, dass …	Stimmt!	Das ist nicht richtig.
Es ist doch klar, dass …	Das ist richtig.	Das ist Unsinn/Quatsch.
Ein Vorteil/Nachteil ist, dass …	Genauso ist es!	Ich bin anderer Ansicht, weil …

7 Wo ist der Ausweis?

1.15
a Listen to the telephone conversation. In which room did the sister look for the I.D.? Why?

A    B    C

b Read the sentences. Which fit with the telephone conversation?

1. Der Ausweis ist irgendwo im Zimmer in einer Schublade.
2. Irgendwer kontrolliert die Ausweise von den Jugendlichen.
3. Er braucht den Ausweis irgendwann.
4. Irgendwo in der Tasche ist der Ausweis.
5. Irgendwann vor ein paar Monaten hat er den Ausweis verwendet.
6. Irgendwer hat den Ausweis gestohlen.

Nummer 1 passt: „Der Ausweis ist irgendwo …"

c What does the bouncer say? Complete the sentences in your notebook.

1. Pass auf, ich bin nicht 🐾.
2. Du weißt, dass du 🐾 vergessen hast.
3. Du hast geglaubt, dass du es auch so 🐾 schaffst.
4. 🐾 geht es vielleicht ohne Ausweis, aber hier nicht.
5. Du kannst schon 🐾 hinein, aber erst will ich den Ausweis sehen.

indefinite pronouns	
irgend-	irgendwer
	irgendwas
	irgendwo
	irgendwann
	irgendwie

8 Der Traum vom neuen Zimmer

a What fits together? Match.

1. Alina findet die Wände zu leer.
2. Alina findet ihr Zimmer zu dunkel.
3. Alina hat zu wenig Platz für Bücher.
4. Der Boden gefällt Alina nicht.

A Sie will irgendein cooles Regal.
B Sie möchte irgendeinen schönen Teppich.
C Sie hängt irgendwelche Poster auf.
D Sie träumt von irgendeiner hellen Farbe.

b How would you like to live someday? Describe the place with lots of *irgend*-words.

Ich möchte irgendwann in irgendeinem warmen Land leben, an irgendeinem wunderbaren See. …

"in einem Haus, in irgendeinem Haus" – the endings stay the same.

irgendein / irgendwelche	
der See	irgendein See
das Haus	irgendein Haus
die Stadt	irgendeine Stadt
die Leute	irgend**welche** Leute

3

9 Unser Lieblingsplatz

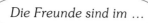
a **Listen to the conversation. Where are the friends? What can you do there?**

> *Die Freunde sind im …*

b **Listen again and answer the questions.**

1. Welche Zimmer gibt es?
2. Wie sehen die Zimmer aus?
3. Was ist Keikos Idee?

10 Die Renovierung

a **Read the newspaper text. Which headline fits?**

A Jugendliche renovieren ihr Jugendzentrum selbst
B Kein Geld für das Jugendzentrum und das Altenheim

Großer Lärm im Jugendzentrum Kannenberg. Die jungen Handwerker streichen, hämmern, bauen Möbel und kommen dabei richtig ins Schwitzen. „Hier musste unbedingt etwas passieren. Die Wände waren mit Graffiti besprüht und die Möbel waren total alt und kaputt. Aber es war kein Geld da für eine Renovierung", erzählt uns Pia (15). Doch die Jugendlichen hatten eine Idee: Wir renovieren selbst! Nun fehlte nur noch das Geld für das Material. Kolja (16) berichtet, wie die Jugendlichen Hammer, Nägel, Farbe, Pinsel, Holz usw. organisiert haben: „Wir sind zu den Baumärkten gegangen und haben von unserem Plan erzählt. Alle waren sofort begeistert und haben uns verschiedene Materialien gegeben. Wir mussten nichts bezahlen. Das war super. Wir danken allen Sponsoren ganz herzlich!" Ein weiterer Sponsor ist das Altenheim *Am Wäldchen*. Es liegt gleich um

die Ecke vom Jugendzentrum. „Wir haben von der Renovierung nebenan gehört und überlegt, wie wir helfen können. Dann haben wir den Jugendlichen einfach zwei Sofas geschenkt, die wir nicht mehr brauchen. Die jungen Leute waren so dankbar und haben alle Senioren zur Party eingeladen", freut sich Ludwig R. (45), der Leiter vom Altenheim. Die große Party findet im Juni statt. Dann feiern die Jugendlichen ihre Renovierung mit Live-Musik, Flohmarkt und gegrillten Würstchen.

b **Read the statements. Correct them with a partner in your notebook.**

1. Eltern und Handwerker haben die Wände gestrichen und neue Möbel gebaut.
2. Die Baumärkte haben den Jugendlichen Geld für die Renovierung gegeben.
3. Die Jugendlichen haben zwei Sofas für das Altenheim gekauft.
4. Zur Party im Juni sind nur Jugendliche eingeladen.

> *1. Die Jugendlichen haben die Wände gestrichen und …*

c **Have you ever renovated something? How? What do you like to renovate (e.g. at home, in your school)? Who can help you? How are you getting the materials for this project?**

Kannst du das schon?

Wohnformen

– die Wohnung I das Einfamilienhaus I das Reihenhaus I der Wohnblock I das Hochhaus
– in einer Großstadt I in der Stadt I im Zentrum I in einem Vorort I in einem Dorf I auf dem Land

Living arrangements
Wo wohnen die Leute?
Name six words.

unbestimmte Zahlwörter

– Alle Schüler in unserer Klasse lernen Deutsch.
– Viele Mitschüler haben einen eigenen Computer.
– Einige Schüler waren schon in Deutschland.
– Es gibt an unserer Schule wenige Austauschschüler, nur zwei.

Indefinite numerals
Create sentences with *alle, viele, einige, wenige Schüler.*
– *Deutsch lernen*
– *eigener Computer*
– *in Deutschland*
– *Austauschschüler*

über Wohnorte diskutieren

– Ich finde/denke/glaube, dass man in der Stadt bequemer lebt.
– Ein Vorteil in der Stadt ist, dass man überall einkaufen kann.
– Ich bin der Meinung, dass man in einem Dorf mehr Platz hat.
– Ein Nachteil von einem Dorf ist, dass man immer weit fahren muss.

Discussing neighborhoods
Small town or city? Talk with a partner.
Give your opinion in two sentences.

zustimmen und widersprechen

● Wohnen in der Stadt ist am besten.
○ Ja, das finde ich auch. I Du hast recht. I Genau! I Genauso ist es. I Stimmt! I Das stimmt! I Richtig! I Das ist richtig.
▶ Nein, das finde ich nicht. I Das stimmt doch nicht. I Das ist nicht richtig. I Das ist Quatsch/Unsinn. I Das stimmt, aber … I Ich bin anderer Meinung, weil …

Agreeing and contradicting
Wohnen in der Stadt ist am besten.
Agree three times and contradict three times.

Relativsätze mit wo

– Ich möchte in einem Ort wohnen, wo man viele Freizeitmöglich-keiten hat.
– Ich hätte dort gern ein Jugendzentrum, wo ich meine Freunde treffen kann.
– Eine Bibliothek wäre toll, wo man viele Bücher leihen kann.
– Ich hätte gern Straßen, wo ich nachts allein unterwegs sein kann.

Relative clauses with *wo*
What type of place would you like? What would you like to have there?
Write three relative clauses with *wo*.

unbestimmte Pronomen

– Irgendwie ist meine Uhr seit heute weg.
– Meine Uhr muss aber irgendwo in meinem Zimmer sein.
– Ich habe sie doch irgendwann auf den Schreibtisch gelegt.
– Oder ist sie in irgendeiner Schublade?
– Ich glaube, irgendwer hat sie genommen.

Indefinite pronouns
The watch is missing! Answer with *irgend*-words.
Wie?
Wo?
Wann?
Wer?
Welche Schublade?

– Kein Wunder!
– Nie gehört.
– Ich bin ganz schön sauer.

Kein Wunder!

We will learn:
talking about interests I giving instructions I comparing I complaining
genitive with definite and indefinite articles I infinitive with *zu*

Medien und Werbung

1 Das finde ich super!

a Look at the advertisement.
What could it be for?

> *Das ist vielleicht Werbung für eine neue DVD.*

Ab nächster Woche kannst du mich kaufen!

1.17

b Listen to the interview of three students.
What do they think about computer games?
Write down the keywords.

Niklas	Calista	Jakob
spielt täglich		

c Do you like to play on the computer? Why (not)? Discuss as a class.

spannend/langweilig sein • gewinnen • viele Levels schaffen • sich (nicht) entspannen • tolle Animationen mögen • nervös werden • lieber andere Sachen machen • weiterkommen • besser als andere sein

> *Ich spiele gern, weil ich alle Levels schaffen will.*

2 Kauf mich!

1.18

a Listen to the advertisement. What is the PC game about? Discuss as a class.

neue Welten entdecken • gegen Monster kämpfen • strategisch denken • ein Zauberer hilft • eine Abenteuerreise machen • Städte bauen • Figuren bewegen • Inseln entdecken • auf Pferden reiten • mit Flugzeugen fliegen

b Listen again and choose the correct answers. Write them in your notebook.

1. Das ist das Spiel   A der Woche.   B des Monats.   C des Jahres.
2. Du bist der Kapitän   A eines Schiffs.   B eines Flugzeugs.   C einer Rakete.
3. Du brauchst die Hilfe A der Prinzessin.   B des Zauberers.   C des Königs.
4. Du machst eine Reise   A der Abenteuer.   B des Glücks.   C der Liebe.
5. Du erlebst die Welt   A der Meere.   B der Abenteuer.   C der Freundschaft.

> *1. Das ist das Spiel des Jahres.*

c With a partner, write an advertisement for a game. Use expressions like in 2b. Introduce the game in class.

Das beste Spiel der Welt – …

genitive	
der Freund	das Spiel **des**/ein**es** Freund**es**
das Schiff	der Kapitän **des**/ein**es** Schiff**s**
die Freundin	das Spiel **der**/ein**er** Freundin
die Spiele	die Welt **der** Spiele

3 Die Stimme der Werbung

a Read the article about Klaus Kerner. What is his job? What does he like to do?

Klaus Kerner, 30, spricht Werbetexte, z. B. für Computerspiele. Außerdem ist er schon seit 20 Jahren Synchronsprecher. Auch als Kind hat er schon in Filmen gesprochen, jetzt hat er daraus seinen Beruf gemacht. „Werbung mache ich gern, da verdient man nämlich meistens gut. Aber am liebsten spreche ich in Animationsfilmen. Da muss man manchmal ganz verrückte Sachen machen, zum Beispiel einen Baum oder Tiere sprechen. Das ist nicht leicht – aber es macht Spaß! Es ist auch kompliziert, einen ausländischen Film zu synchronisieren: Alles muss ganz natürlich aussehen, denn das Publikum darf später nichts merken."

Die Arbeit im Tonstudio ist manchmal sehr stressig – und auch teuer. Deshalb muss es meistens schnell gehen. Es gibt noch zwei wichtige Personen, nämlich den Tontechniker und den Regisseur. Der Tontechniker kontrolliert die Studiotechnik und der Regisseur ist für die gesamte Aufnahme zuständig. Wenn der Regisseur etwas anders will, dann muss Klaus einen Text mehrmals sprechen – ohne Talent und Geduld würde das nicht klappen!

 b Read the questions and write the answers in your notebook.

1. Wie lange arbeitet Klaus schon als Sprecher?
2. Was spricht er am liebsten? Warum?
3. Warum muss die Arbeit im Studio schnell gehen?
4. Wer ist noch im Studio?
5. Welche Eigenschaften braucht ein Sprecher?

1. Klaus arbeitet seit 20 Jahren als Synchronsprecher.

c Which cartoon characters do you like? Why? Discuss in class.

Ich mag Spongebob, weil er immer …

4

4 Technische Produkte

a Where do you get information about products? Collect in class.

> in Zeitschriften, im Geschäft

b Read the information about a computer game. What do you find useful?

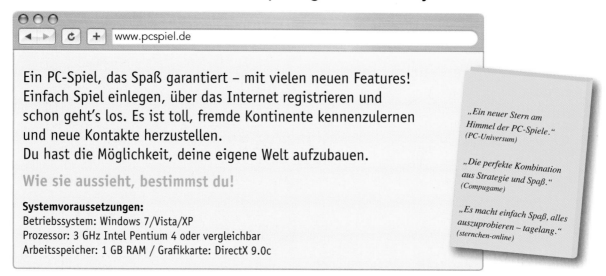

⊙ ⊙ ⊙
◄ ► C + www.pcspiel.de

Ein PC-Spiel, das Spaß garantiert – mit vielen neuen Features!
Einfach Spiel einlegen, über das Internet registrieren und
schon geht's los. Es ist toll, fremde Kontinente kennenzulernen
und neue Kontakte herzustellen.
Du hast die Möglichkeit, deine eigene Welt aufzubauen.

Wie sie aussieht, bestimmst du!

Systemvoraussetzungen:
Betriebssystem: Windows 7/Vista/XP
Prozessor: 3 GHz Intel Pentium 4 oder vergleichbar
Arbeitsspeicher: 1 GB RAM / Grafikkarte: DirectX 9.0c

„Ein neuer Stern am
Himmel der PC-Spiele."
(PC-Universum)

„Die perfekte Kombination
aus Strategie und Spaß."
(Compugame)

„Es macht einfach Spaß, alles
auszuprobieren – tagelang."
(sternchen-online)

★★★★★	Kundenbewertung
Absolut empfehlenswert	Ich habe mir das Spiel vor fünf Tagen gekauft und bin begeistert. Es ist eine gute Mischung aus Strategie, Abenteuer und Information. Man hat nur Erfolg, wenn man anderen Figuren hilft. Die Grafik ist super und die Installation geht superschnell. Und danach ist es einfach spannend, alle Levels zu schaffen. Ich empfehle es allen Fans von Strategiespielen, Alter egal!

c Read the questions and look for the matching sentences in the texts.

1. Was ist toll an dem Spiel?
2. Welche Möglichkeit hat man?
3. Was macht Spaß?
4. Wann hat man Erfolg?
5. Was ist spannend?

> Es ist toll,
> fremde Kontinente
> kennenzulernen.

5 Es ist toll, …

Which technical products do you like to use? Why? Complete the sentences.

1. Es ist toll, …
2. Es macht Spaß, …
3. Man hat Lust, …
4. Es gibt die Möglichkeit, …
5. Ich versuche, …

> alle Levels schaffen • mit Freunden spielen •
> Lieblingsmusik hören • Neues kennenlernen •
> stundenlang entspannen • …

> Mein Netbook
> 1. Es ist toll, überall mit Freunden zu chatten.

infinitive with zu
Es ist toll, Freunde **zu** finden.
Es ist möglich, eine Welt auf**zu**bauen.
Man hat Lust, lange **zu** spielen.
Ich versuche, alle Levels **zu** schaffen.

6 Das ist doch ganz einfach!

 a **Listen to the telephone conversation. What would Charly like from Leo?**

1.19

Leo, 14   Charly, 6

b **Listen again. Find the right order of the pictures.**

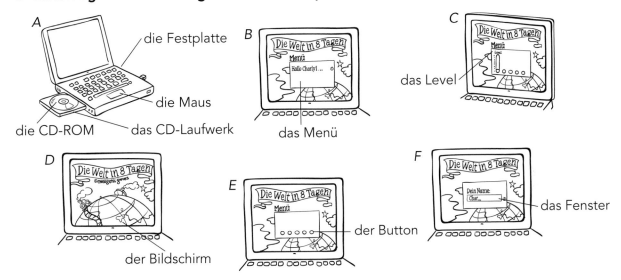

 c **Listen again and write notes. Which hints does Leo give?**

A zuerst die CD einlegen

d **Work with a partner. Explain the order to your partner.**

zuerst • jetzt • dann • später • danach • anschließend

Du musst zuerst …

Wenn du …, dann …

Dann legst du …

Klick danach …

 7 s wie in …

 a **Listen to the words and sort them in the table. Then read the words aloud.**

1.20

s wie in Sonne	s wie in Fenster

riesig • begeistert • Spaß • sehen • sehr • Sommer • segeln • nervös • Lösung • besser • vergessen • etwas

 b **Work in pairs. What do you hear: s as in Sonne or s as in Fenster? One of you writes all the Sonne-words, the other all the Fenster-words. Compare your notes.**

1.21

8 Tolles Schnäppchen!

a Listen to the conversation. Why does Pia think her new cell phone is great?
1.22

b Read the text and collect information about the keywords.

Tricks im Internet – Vorsicht beim Handykauf
Kriminelle nutzen das Internet und verkaufen Handys mit einem extrem teuren Vertrag. Der Trick ist ganz einfach: Ein neues Handy gibt es „umsonst". Manche Kunden lesen den Vertrag nicht richtig und hier ist das Problem: Die Tarife sind viel teurer als normal. Eine SMS kostet 60 Cent – also mehr als das Doppelte vom Normaltarif –, ein Telefonat zwischen 40 und 70 Cent pro Minute. Die Polizei warnt: Auf keinen Fall unterschreiben! Wenn Sie schon unterschrieben haben, dann haben Sie nur eine Chance: innerhalb von zwei Wochen kündigen. Und das nächste Mal – immer **alles** lesen!

Vertrag: extrem teuer	Polizei:
Kunden:	kündigen:
Tarif:	

c Compare the cell phone prices. Which plan is the most expensive/cheapest?

Tarif	A	B	C
SMS	20 Cent	30 Cent	10 Cent
pro Minute ins Festnetz	20 Cent	5 Cent	10 Cent
pro Minute ins Handynetz	10 Cent	0 Cent	10 Cent
Grundgebühr/Monat	5,- Euro	15,- Euro	10,- Euro

Für die SMS ist Tarif C am billigsten.

 d Compare the plans like in the example. Write 5 sentences in your notebook.

ein Viertel = 1/4   ein Drittel = 1/3   die Hälfte = 1/2   das Doppelte = x 2

1. Die Grundgebühr für Tarif A kostet ein Drittel von Tarif B.
2. Eine Minute ins Festnetz kostet im Tarif A das Doppelte von Tarif C.

9 Preisvergleich

For what kinds of things do you compare prices? What is cheaper where? Discuss as a group.

Ich vergleiche bei Süßigkeiten. Süßigkeiten sind im Supermarkt am billigsten.

Bei Musik. Ich ...

10 Beschweren – ganz leicht!

1.23

a Pia and Nadja have a plan. Listen and read the dialog. What does Pia's mother think about it?

Pia:	Was? Das ist ja schrecklich! Kann ich gar nichts machen?
Nadja:	Doch, zum Glück schon. Im Internet steht, du kannst noch kündigen.
Pia:	Ja, das mache ich sofort. Hier steht irgendwo die Nummer der Hotline. Ich rufe gleich an und beschwere mich.
Mutter:	Was willst du denn sagen?
Pia:	Na, ich sage, dass ich sofort mein Geld zurückhaben will. Und dass ich ihr blödes Handy gar nicht will.
Nadja:	Ja, und dann sag noch, dass du sie bei der Polizei anzeigst.
Mutter:	Polizei? Du hast aber den Vertrag unterschrieben, das ist ganz legal.
Pia:	Ach, Mama. Aber das ist doch echt unfair.
Mutter:	Also, noch mal von Anfang an: Wenn du da anrufst, was sagst du dann?
Pia:	Ich will mein Geld zurück.
Mutter:	Erst einmal sagst du, dass du vor zwei Tagen den Vertrag unterschrieben hast – und ihn jetzt kündigen möchtest, weil die Tarife zu teuer sind.
Pia:	Und ihr blödes Handy will ich nicht.
Mutter:	Dann sagst du freundlich: „Ich gebe Ihnen natürlich das Handy zurück. Dafür erwarte ich, dass Sie mir auch umgehend meine Grundgebühr auf mein Konto überweisen."
Nadja:	Und die Polizei?
Mutter:	Über die Polizei sagst du gar nichts. Du sagst nur: „Wenn es Probleme gibt, dann beschwere ich mich."
Pia:	Vielleicht solltest du das lieber machen …
Mutter:	Nein, nein. Du hast den Vertrag selbst unterschrieben, also kannst du auch selbst anrufen.

b What does Pia's mother want to say on the phone? Put the sentences in a logical order.

1. Ich möchte meinen Vertrag sofort kündigen.
2. Wenn es Probleme gibt, dann beschwere ich mich.
3. Mein Name ist Pia Rehmler.
4. Das Handy schicke ich Ihnen natürlich zurück.
5. Vielen Dank.
6. Ich habe vorgestern einen Handyvertrag abgeschlossen.
7. Die Tarife sind viel teurer als üblich.
8. Bitte überweisen Sie mir die Grundgebühr sofort zurück.

3. –

1.24

c Listen. Which sentences from 10b does Pia use? Is she successful?

d Has something similar ever happened to you? Tell it to the class.

4

11 Die bunte Welt der Werbung

a Collect in class: For what do you want to advertise? Make groups and choose a product.

– Handy
– ...

b Collect in your group: What is so special about your product?

– großes Display
– ...

▸TM **c** Look at the types of advertisements. Which type of advertisement fits best to your product? Think up an advertisement.

Das ist typisch:
Musik und Bilder passen zusammen
spricht Emotionen an
es gibt eine kurze Geschichte
wie ein Rätsel – das Produkt sieht
man nicht gleich

Das ist typisch:
kurz und witzig
weckt die Aufmerksamkeit (durch
Musik/Geräusche)
Name des Produkts kommt oft vor
Info oder kleine Geschichte

Das braucht ihr:
Kamera und Mikrofon
Drehbuch
Schauspieler
Text und Musik

TV-Spot

Das braucht ihr:
ruhigen Raum
Computer mit Mikrofon
Drehbuch mit Text
Sprecher
Musik oder Geräusche

Audio-Spot

Printwerbung

Internetwerbung

Das ist typisch:
kurzer, witziger Slogan
gute grafische Aufteilung
wichtige Infos sind angegeben
angenehme Atmosphäre

Das ist typisch:
auffälliges Design (Farbe/Animation)
wichtige Info ist markiert
Kurztexte und Slogans wechseln sich ab
Aufforderung am Schluss

Das braucht ihr:
Foto
Information
kurzer Text
Slogan

Das braucht ihr:
Computer mit
Grafikprogramm
Foto
Werbespruch

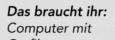

d Present your advertisement to the class. Which advertisement do you like the best?

Kannst du das schon?

über Interessen sprechen

– etwas ist spannend/langweilig / kann man mit Freunden machen / Spaß machen / gewinnen können / weiterkommen wollen / entspannen
– nervös werden / lieber andere Sachen machen

Talking about interests
What do you like to do?
Why?
Describe your hobby.

Genitiv

– Es ist das Spiel des Monats / des Jahres / der Woche.
– Entdecke die Welt der Abenteuer / der Freundschaft / der Zauberer.
– Mit der Hilfe eines Zauberers / eines Mädchens / einer Prinzessin kannst du das Spiel gewinnen.

Genitive
Write 3 sentences for an advertisement for a CD, computer game, or book.

Infinitiv mit zu

– Es ist toll, ein neues Level zu schaffen.
– Es macht Spaß, etwas Neues auszuprobieren.
– Man hat Lust, weiterzumachen.
– Es gibt die Möglichkeit, Musik zu hören.
– Ich versuche, immer besser zu werden.

Infinitive with *zu*
What do you like about your hobby? Write three sentences.

Anweisungen geben

– Zuerst legst du die CD ein.
– Dann gibst du einen Namen ein.
– Anschließend kommst du auf die nächste Seite.
– Wenn du jetzt mit der Maus drauf gehst, kannst du es anklicken.
– Bei dem Button kannst du das Level wählen.
– Später musst du dich wieder abmelden.

Giving instructions
How do you do that? Explain how you start a computer game.

vergleichen

ein Viertel | ein Drittel | die Hälfte | das Doppelte

– Cola A kostet ein Viertel von Cola B.
– Eis B kostet zwei Drittel von Eis A.
– Kaffee B kostet das Doppelte von Kaffee A.

Comparing
Compare the prices.

	A	B
Cola	0,15	Cola 0,60
Eis	1,50	Eis 1,–
Kaffee	2,–	Kaffee 4,–

sich beschweren

– Ich möchte mich beschweren.
– Ich möchte den Vertrag kündigen.
– Das ist viel teurer als üblich.
– Bitte geben/überweisen Sie mir mein Geld zurück.

Complaining
You want to cancel a contract. Complain using 3 sentences.

– Und schon geht's los!
– Das ist doch ganz einfach!
– Das ist ja schrecklich!
– Aber das ist doch echt unfair!

Und schon geht's los!

Grammar summary

Subjunctive

	haben	sein	werden	können	sollen
ich	hätte	wäre	würde	könnte	sollte
du	hättest	wärst	würdest	könntest	solltest
er/es/sie	hätte	wäre	würde	könnte	sollte
wir	hätten	wären	würden	könnten	sollten
ihr	hättet	wärt	würdet	könntet	solltet
sie/Sie	hätten	wären	würden	könnten	sollten

Würdest du gern zum Konzert gehen?
Wenn ich Zeit hätte, wäre ich gern dabei.

Könntest du mir bitte das Programm zeigen?
Du solltest aber pünktlich kommen.

Verbs with prepositions

accusative
Keiko **freut sich auf** die Zeit in Deutschland.
Sie **redet** den ganzen Tag **über** ihren Freund.

Additional verbs: *warten auf, sich interessieren für, diskutieren über, sich erinnern an*

dative
Keiko kann viel **von** ihrem Land **erzählen**.
Sie **träumt von** der neuen Schule.

Additional verbs: *teilnehmen an, gratulieren zu, telefonieren mit, einladen zu*

Relative clauses in the nominative and accusative

	nominative	accusative
Das ist der/ein Austauschschüler,	Er surft gern. **der** gern surft.	Ich verstehe ihn gut. **den** ich gut verstehe.
Das ist das/ein Geschenk,	Es ist von meinem Opa. **das** von meinem Opa ist.	Ich habe es nicht ausgepackt. **das** ich nicht ausgepackt habe.
Das ist die/eine Austauschschülerin,	Sie spricht gut Deutsch. **die** gut Deutsch spricht.	Er mag sie sehr gern. **die** er sehr mag.
Das sind die/– Schüler,	Sie haben heute einen Infotag. **die** heute einen Infotag haben.	Wir treffen sie bald. **die** wir bald treffen.

Relative clauses with *wo* – locations

Hamburg ist eine Stadt, **wo** fast zwei Millionen Menschen leben.
Ich wohne in einem Ort, **wo** man nicht viel machen kann.

Dependent clause before main clause

Die Schule (ist) aus.	**Ich** (fahre) Skateboard.	Ich (bin) total müde.	**Ich** (muss) Kaffee (trinken).
Wenn die Schule aus (ist),	(fahre) **ich** Skateboard.	**Weil** ich total müde (bin),	(muss) **ich** Kaffee (trinken).

Separable verbs in the dependent clause

				end of sentence
	Sie	(lernt)	neue Freunde	(kennen).
Keiko hofft, dass	sie		neue Freunde	(kennen lernt).
	Wie	(sieht)	Keiko	(aus)?
Nadja möchte wissen,	wie		Keiko	(aus sieht).

Infinitive with *zu*

Ich beginne,	mir eine fantastische Welt auf**zu**bauen.

Additional verbs: *aufhören, anfangen, vergessen, versprechen, versuchen, sich bemühen*

Es ist toll,	mit Freunden Computerspiele **zu** spielen.

Additional adjectives: *Es ist wichtig, …; Es ist schwer, …; Es ist leicht, …; Es ist möglich, …*

Es macht Spaß,	eine neue Welt **zu** entdecken.

Additional nouns: *(keine) Zeit haben, Angst haben, Lust haben*

Articles in the genitive

	des, der	**eines, einer**
der	Die Hilfe **des** Zauberer**s** kommt rechtzeitig.	Den Namen **eines** Freund**es** vergesse ich nie.
das	Der Kapitän **des** Schiff**s** hat einen Bart.	Die Installation **eines** Spiel**s** macht Probleme.
die	Das Spiel heißt „Das Ende **der** Welt".	Du bist der Kapitän **einer** Rakete.
die	Eine Welt **der** Abenteuer erwartet dich.	*

The genitive -s with proper names: *Claudia**s** Freund, Plato**s** Nase*
* The genitive plural without article is generally used with **von** + dative: *die E-Mail-Adresse von Freunde**n**.*

Indefinite pronouns: *irgend-* + W-question word

irgendwer	Irgendwer hat meinen Personalausweis versteckt.
irgendwo	Wo ist denn dein Schlüssel? – Keine Ahnung, irgendwo.

Also: *irgendwann, irgendwie, irgendwas*

Indefinite pronouns: *irgendein/irgendwelche*

ein	irgendein See
ein	irgendein Haus
eine	irgendeine Stadt
	irgendwelche Leute

Wenn ich erwachsen bin, möchte ich an irgendeinem See in irgendeinem schönen Haus wohnen. Wichtig ist, dass irgendeine Stadt in der Nähe ist. Dort treffe ich irgendwelche berühmten Leute.

Letterboxing

1 In the Harz and on the islands of Wangerooge and Rügen

   a Read the information. What exactly is letterboxing?

INFO +++ INFO +++ INFO +++ INFO +++ INFO +++ INFO +++ INFO +++
Letterboxing ist wie eine Suche nach einem Schatz. Man versteckt eine Kiste
(engl. *box*) mit einem Notizbuch und einem Stempel an einem interessanten oder
schönen Ort. Man beschreibt den Weg zur Box als Rätsel und stellt die Informationen
ins Internet. Jeder, der Lust hast, kann sich auf die Suche nach der Kiste machen,
eine Nachricht in das Notizbuch schreiben und das eigene Notizbuch stempeln.
INFO +++ INFO +++ INFO +++ INFO +++ INFO +++ INFO +++ INFO +++

   b Where is the treasure in Wangerooge? Read the description and search the map.

www.meine-letterbox.de

Startseite	Karte	Information	Forum

Hauptmenü
Suchen
Verstecken
Caches

Letterbox Wangerooge
Wangerooge ist eine Insel in der Nordsee,
die nur knapp 8 km² groß ist. Autos dürfen
hier nicht fahren. Die frische Luft genießen
viele Touristen. Und hier gibt es noch mehr
zu sehen: An der Nordseite der Insel gibt es
einen wunderschönen etwa 100 m breiten
und 3 km langen Sandstrand. Im Süden der
Insel liegt das Wattenmeer – Weltnaturerbe
der UNESCO.
Sucht im Dorf Wangerooge nach unserer Letterbox und genießt den
Aufenthalt hier!

So findet ihr die Box:
Sucht auf der Insel Wangerooge das Café
mit dem Namen eines Desserts. Geht
vom Café in Richtung Alter Leuchtturm.
Auf der rechten Seite seht ihr ein Haus,
in dem man Geld bekommt. Geht dann
weiter in Richtung Westen. Ihr kommt
an einem Haus vorbei, in dem Besucher
schlafen können. Nehmt dann den kleinen Weg dahinter links rein in den Park.
Geht durch den Park und dann nach
Osten bis zur Kreuzung. Nehmt die Straße
mit dem längeren Namen. Geht bis zu der
Straße mit einem männlichen Vornamen.
Seht dann in Richtung Norden. Geht zu
den drei Bänken, die unter den großen
Bäumen stehen. Bei dem Baum, der im
Sommer und im Winter „Blätter" trägt,
findet ihr die Box.

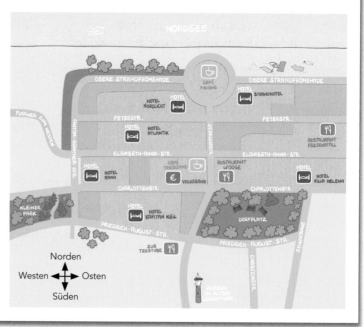

c Philip has already found two letterboxes and written notes in his notebook about each place. Read the two descriptions, the description of Wangerooge from 1b and the entries in the notebook. Where has Philip not been yet?

Startseite	Karte	Information	Forum	

Hauptmenü
Suchen
Verstecken
Caches

Letterbox Rügen 09
Rügen ist die größte Insel Deutschlands. Sie liegt in der Ostsee. Das Wahrzeichen Rügens sind die Kreidefelsen im Osten. Unsere Letterbox findet ihr in der Stadt Bergen auf Rügen. Sie liegt in der Mitte der Insel.

So findet ihr die Box:
Vom Parkplatz Rugardweg (Sommerrodelbahn) geht ihr nach links …

Startseite	Karte	Information	Forum	

Hauptmenü
Suchen
Verstecken
Caches

Brocken-Letterbox
Der Brocken ist der höchste Berg Norddeutschlands und liegt im Mittelgebirge Harz. Für echte Wanderer sind seine 1141 Meter aber nur ein Spaziergang. Der Brocken ist berühmt für seine Hexen. Früher hat man gedacht, dass sich in der Nacht auf den 1. Mai alle Hexen aus ganz Deutschland auf dem Brocken versammeln und dort tanzen. Auch heute noch organisiert man im ganzen Harz Feste, wo man sich als Hexe verkleidet.

So findet ihr die Box:
Eure Suche beginnt in Schierke. Geht …

04.01.2011
Die Letterbox war nicht leicht zu finden und es war sehr, sehr kalt!!!

Der ganze Wanderweg war voll Schnee und erst oben habe ich erfahren, dass es auch eine Bahn gibt. Toll! Die habe ich dann auf dem Rückweg genommen (endlich warm!). Am Abend auf dem Tanzplatz war es gar nicht gruselig – nicht eine Hexe zu sehen.

Das war eine Box für Anfänger – gar kein Problem!

Wir haben hier alle Urlaub gemacht. Waren viel am Strand bei super Wetter. Ich habe surfen gelernt!! Gar nicht so einfach. Wir waren auch ein bisschen wandern – bis zum Königsstuhl. Irre: überall gibt's hier Kreide, aber nicht zum Schreiben. ☺

29.7.2011

---

2 Letterboxing by you

✏️ Work in groups. Hide a box in the school or near your school. Write information about the place and explain how to find the treasure. Swap information with other groups and start searching.

5

We will learn:
expressing your own opinion I writing a comment I presenting a book
adjective endings review I adjective endings: comparative and superlative: *die bessere Note, das beste Lied*

Das ist mir wichtig.

1 Das kann ich selbst besser.

 1.25

a Look at the photo and listen to the interview. Which statement is correct?

der Spiegel

kreativ sein

der Stoff

originelle Kleidung

der Faden

die Nähmaschine

der Knopf

die Nadel

1. Janina hat eine kleine Modefirma und verkauft Kleidung über das Internet.
2. Janina näht sich ihre Kleidung selbst und möchte Mode-Designerin werden.
3. Janina ist Schülerin und macht gerade ein Praktikum bei einer Schneiderin.

 b Listen again and answer the questions using keywords. Compare as a class.

1. Wie gefällt anderen die Kleidung von Janina?
2. Warum näht sie sich ihre Kleidung selbst?
3. Was ist Janinas Meinung: Was ist beim Kleiderkauf wichtig?
4. Was denkt Janina: Wie kann sie beruflich Erfolg haben?
5. Was plant sie in den Sommerferien?

> *1. viele machen Komplimente; gefällt aber nicht allen*

c What does Janina say about the globalized world? Are you familiar with other examples of globalization? Discuss in class.

die Produktion • der Transport • billig • das Material •
der niedrige/hohe Lohn • die Globalisierung • die Fabrik •
die Industrie • illegal • der Preis • teuer • …

> *Die geringen Preise sind ein Grund für die Globalisierung.*

2 Dein Hobby

 Work in pairs. Conduct an interview about your partner's hobby. You can record your conversation or demonstrate it to the class.

3 Wie siehst du denn aus?

a Look at the photos and describe them.

> *Auf Foto A sieht man Janina und ihre Familie beim Frühstück. Die Eltern ...*

▸TM **b Work in pairs. What do the people think of Janina? What do they say?**

> Oh nein, was hat sie denn heute an? • Soll das ein Kleid sein? •
> Na, es steht ihr schon. • Sie hat wirklich Mut! • Warum zieht sie denn so etwas an? •
> Das ist Geschmackssache. • Das hätte ich auch gern! • Wie peinlich! •
> Also, ich finde es super! • Weiter so! • Das ist ja krass. • Du hast wirklich Talent! • ...

c Which celebrities have their own style? What is typical for them? How do you like it? Discuss in groups.

> *Lady Gaga zieht sich originell an. Sie trägt ...*

4 Wie wichtig ist Markenkleidung für dich?

1.26–30

a Listen to five commentaries from a survey. Are the sentences true or false?

1. Das Mädchen zieht sich so wie ihre Freundinnen an, auch wenn es teuer ist.
2. Der Junge kauft Markenkleidung, weil sein Bruder das auch macht.
3. Das Mädchen kauft keine Markenkleidung, weil es nicht zu ihrem Stil passt.
4. Das Mädchen findet, dass der Preis für Markenkleidung zu hoch ist.
5. Der Junge denkt, dass es wichtig ist, wie man sich anzieht.

b What do you think about brand-name fashion? Discuss in class.

> *Meiner Meinung nach ist Markenkleidung nicht wichtig, weil ...*

> *Ich trage schon gern Markenkleidung. Da wissen andere gleich, ...*

5 Mama, das ist ja peinlich!

a Listen to the conversation from Anton, Paul and Pia. What are they talking about?

1.31

b Listen again. Who is wearing what? Match. Describe the parents' clothing.

die Ohrringe   die Strumpfhose   die Bluse   schwarz   das Jeanshemd

die Jeans   die Haare

der Rock   weiß   die Jacke

               gelb   gemustert

blau

lang   bunt   eng

riesig   das Neon-Shirt

Pauls Mutter trägt eine blaue Strumpfhose und ...

review of adjective endings

	nominative	accusative	
der	ein weiß**er**	ein**en** weiß**en**	Rock
das	ein bunt**es**	ein bunt**es**	Hemd
die	eine rot**e**	eine rot**e**	Bluse
die	– eng**e**	– eng**e**	Jeans

c Paul's mother comes into the room. What do you think her reaction will be?
Discuss in class. Listen to the conversation. How does Paul's mother actually react?

1.32

Vielleicht ist sie sauer.

Ich glaube, sie ...

6 Mama, was hast du denn angezogen?

▶TM   Ask your parents and grandparents what they used to wear. Bring photos of your family from 10, 20, 30, 40 and 50 years ago. Tell the class about them.

7 Super ist für mich, …!

a Read the commentaries in a magazine. Sort them by topic.

> ### Super ist für mich, …
>
> … die beste Band **live** zu sehen.
>
> … den **coolsten** Lehrer zu haben.
>
> … die ganze *Nacht* mit Freunden zu **quatschen**.
>
> … in Mathe bessere Noten zu bekommen.
>
> … am heißesten Tag im **Freibad** zu sein.
>
> … mit den **besten Freunden zu feiern**.
>
> … nachts eine **SMS** von der Freundin zu bekommen.
>
> … auszuschlafen.
>
> … mehr **Taschengeld** zu bekommen.
>
> … endlich perfekt Ski fahren zu können.
>
> … das **höchste Level** zu schaffen.
>
> … die **geilste** Musik zu hören.
>
> … das tollste Geschenk zu bekommen.
>
> … bei der schwersten **Prüfung krank** zu sein.
>
> … das **coolere** Handy zu haben.

Freundschaft	Schule	Freizeit

b Read the commentary from Sebastian. Add the endings in your notebook.

Ich fühle mich super, wenn ich mit meinen best⚷ Freunden am Wochenende in den Fun-Park gehe. Das sind immer die coolst⚷ Tage, wenn wir zusammen skaten. Skaten mache ich jetzt schon seit drei Jahren und mittlerweile kann ich auch schon die schwierigst⚷ Tricks ziemlich gut. Im nächst⚷ Jahr fahre ich dann auch zu größer⚷ Wettbewerben, denn hier in der Stadt habe ich schon alles gewonnen. Mein Traum ist, auch zu international bekannter⚷ Turnieren zu fahren. Davor muss ich aber noch hart trainieren!

Before nouns they have adjective endings!

gut
besser
am besten

adjective endings: comparative and superlative			
nominative	accusative	dative	
der best**e**	den best**en**	dem best**en**	Freund
das größ**ere**	das größ**ere**	dem größ**eren**	Turnier
die best**e**	die best**e**	der best**en**	Freundin
die coolst**en**	die coolst**en**	den coolst**en**	Tage(n)

8 Das ist super!

a What do you think is great? Write your ideas on pieces of paper and make a poster.

b Write your own comments on this topic. The text in 7b will help you.

die beste Note zu bekommen

Das ist
SUPER!!!

keine Prüfungen
schreiben

9 Crazy

a The young adult novel "Crazy" by Benjamin Lebert is popular in Germany. The main character is a handicapped boy. What might be difficult for students with disabilities? Discuss in class.

blind

gehörlos (taub)

gelähmt

Wenn man blind ist, dann kann man keine normalen Bücher lesen.

b First read the summary of "Crazy" and then the excerpt. Benni, the main character, is speaking. What are Janosch and Benni talking about?

Benni ist behindert, denn er kann seine linke Körperhälfte nicht richtig bewegen. Er kommt in ein Internat auf dem Land, weil er schlecht in der Schule ist. Dort findet er neue Freunde, zum Beispiel Janosch. Mit seinen Freunden verbringt er heimlich eine Nacht in München. Natürlich spielen auch Mädchen eine wichtige Rolle in Bennis neuem Leben.
Nach einem Jahr zieht er zu seinem Vater – seine Noten sind immer noch schlecht. Aber er hat einiges über das Leben gelernt und freut sich, eine neue Chance zu bekommen.

1 Wahrscheinlich ist es zehn. Ich weiß es nicht. Draußen ist es schon finstere Nacht.
Ich sitze auf dem Fenstersims und gucke hinaus.
Neben mir sitzt Janosch. Er raucht.
„Kannst du mir mal was sagen, Janosch?", frage ich.
5 „Ich kann dir vieles sagen", antwortet er.
„Nicht vieles", erwidere ich. „Nur das eine: Wie fühlt es sich an, nicht behindert zu sein?
Nicht schwach? Nicht leer? Wie fühlt es sich an, mit der linken Hand über einen Tisch zu
streichen? Fühlt man das Leben?"
Janosch überlegt. Er streicht mit der linken Hand über den Sims.
10 „Ja. Ja, man fühlt das Leben." Er schluckt. Dann zieht er an der Zigarette. Ein roter Punkt
glimmt in seinem Gesicht.
„Und wie fühlt es sich an?"
„Es fühlt sich eben nach Leben an!", sagt er. „Im Grunde nicht anders, als wenn man mit
der rechten Hand darüber streicht."
15 „Aber es ist doch toll, oder nicht?", möchte ich wissen.
„Ich habe nie darüber nachgedacht", entgegnet Janosch.
„Aber genau das ist es eben: Leben heißt soviel wie *nie darüber nachdenken*."

c **What do you think of Benni's explanation of what life is? Would you answer the question differently? Discuss in groups of three.**

> *Ich würde das anders erklären.*
> *Leben heißt für mich …*

d **Read the next excerpt. Which problems could Benni mean? Discuss in class.**

1   „Ich will nicht behindert sein", flüsterte ich. „Nicht so."
„Wie dann?" Janosch schaut mich fragend an.
„Ich möchte wissen, was ich bin", antworte ich. „Alle wissen es: Ein Blinder kann sagen,
er ist blind; ein Tauber kann sagen, er ist taub; und ein Krüppel kann verdammt noch mal
5   sagen, er ist ein Krüppel. Ich kann das nicht. Ich kann nur sagen, ich bin halbseitengelähmt.
Oder ich bin ein Halbseitenspastiker. Wie hört sich das denn an? Die meisten Menschen
halten mich ohnehin für einen Krüppel. Und die wenigen anderen halten mich für einen
ganz normalen Menschen. Und ich kann dir sagen, das bringt manchmal noch viel mehr
Probleme mit sich."

> *Die anderen Leute nehmen ihn*
> *mit seiner Behinderung nicht ernst.*

10 Gleiche Konsonanten an der Wortgrenze

a **Listen to the expressions. Pay attention to the bold letters. Do you hear one sound or two? Write your answers in your notebook.**

1.33

1. weißer Rock
2. weißer Mantel
3. weißem Mantel

4. mein Name
5. dem Namen
6. dem Mann

7. den Mann
8. hundert Tage
9. elf Tage

ein Laut	zwei Laute
1, …	

b **Listen to the expressions and read along out loud.**

1.34

1. weißer Rock
2. der Ring

3. weißem Mantel
4. dem Mann

5. mein Name
6. den Norden

7. hundert Tage
8. echt toll

c **Read the sentences and listen to check your answers.**

1.35

1. Mein Name ist Olaf Fischer.
2. Ich bin noch nie in Norwegen gewesen.
3. Es soll dort total toll sein – aber sehr kalt.
4. Mit meinem Mantel wäre es sicher warm genug.

11 Eine Buchpräsentation

 a Which book do you like? Prepare answers for the following questions. Write notes.

1. Wer ist der Autor? Gibt es noch andere bekannte Bücher von ihm/ihr?
2. Was passiert im Buch?
3. Welchen Textabschnitt möchtest du vorlesen?
4. Was hat dir besonders gut gefallen?
5. Wem kannst du das Buch empfehlen?

b Match the expressions to the questions in 11a. Write notes in your notebook.

Er/Sie ist berühmt für das Buch … • Mir hat das Buch gut gefallen, weil … • Das Buch handelt von … • Diesen Abschnitt finde ich besonders interessant, weil … • Ich denke, das Buch ist genau richtig, wenn ihr gern … lest. • Der Autor heißt … und kommt aus … • In dieser Erzählung geht es um … • Ich finde das Buch super, weil … • Ich möchte euch einen Abschnitt vorlesen.

zu Punkt 1: Der Autor heißt … und kommt aus …

c Prepare your presentation. Also think about your introduction and conclusion.

Einleitung:
– Warum habt ihr das Buch gewählt?
– Was ist das Besondere an diesem Buch?

Schluss:
– Dankt für das Interesse.
– Haben die anderen noch Fragen?

d Think about the following suggestions during your presentation. Which suggestions also apply to the listener? Are you familiar with any others? Collect them as a class.

1 Sprecht laut und deutlich.

2 Schaut nicht an die Decke oder aus dem Fenster.

3 Zeigt eure Begeisterung.

4 Lest gut vor.

5 Schaut den Zuhörern ins Gesicht.

6 Gebt den anderen Zeit für Fragen.

Für die Präsentation   Für die Zuhörer

Gunther Gras

e Present your books. Which book interests the most people? Take a class vote.

Crazy IIII
Harry Potter IIII III

Kannst du das schon?

eigene Meinung äußern

- Meiner Meinung nach …
- Das ist wichtig/langweilig/egal/originell/…, weil …
- Das ist doch verrückt.
- Dafür gibt es mehrere Gründe.

Expressing your own opinion

What do you think of brand-name/secondhand clothing? Say 2 sentences for each.

Adjektive mit unbestimmtem Artikel

- Ihr stehen enge Jeans und coole Sweatshirts am besten.
- Der Lehrer trägt eine rote Hose, ein blaues Hemd und einen grauen Anzug.
- Mit einem langen Mantel und einer warmen Mütze ist ihm nie kalt.

Adjectives with indefinite articles

Describe three people in the class. What are they wearing today?

Adjektive mit bestimmtem Artikel

- Der tolle Computer / Das coole Handy / Die schöne Musik gefällt mir.
- Sie hat den teuren MP3-Player / das coole Handy / die neue CD verloren.
- Er spielt mit dem kleinen Bruder / der kleinen Schwester / den kleinen Geschwistern am tollen Computer.

Adjectives with definite articles

Complete the sentences:
Sie hat (toll: MP3-Player, Handy, CD) verloren.
Er spielt mit (klein: Bruder, Schwester, Geschwister) am Computer.

einen Kommentar schreiben

- Ich fühle mich super, wenn …
- Super ist für mich, …
- Das ist die coolste Zeit, wenn …
- Mein größter Traum ist, …

Writing a comment

What do you think is great on vacation? Write a comment.

Adjektivendung: Komparativ und Superlativ

- Der coolste Tag im Jahr ist mein Geburtstag.
  Das coolste Fest war im letzten Sommer.
  Die coolste Sache ist Skaten.
- Ich habe zum Geburtstag das tollste Geschenk / den lustigsten Film / die leckerste Torte bekommen.
- Mit dem besten Freund / der besten Freundin / den besten Freunden macht alles Spaß.
- Auch in einem schwierigeren Test mache ich keinen Fehler.

Adjective endings: comparative and superlative

Fill in the endings:
Der cool… Tag im Jahr ist mein Geburtstag.
Ich habe die lecker… Torte bekommen.
Mit den best… Freunden macht alles Spaß.

ein Buch präsentieren

- Der Autor des Buches heißt … und kommt aus …
- Im Buch geht es um … / Das Buch handelt von …
- Mir hat das Buch gefallen, weil … / Ich finde das Buch super, weil …
- Ich empfehle das Buch für …

Presenting a book

Tell a partner about a book that you like.

- Das ist Geschmackssache!
- Das ist ja krass!
- Kannst du mir mal was sagen?

Das ist ja krass!

We will learn:
expressing assumptions I describing something I appropriately expressing yourself I understanding abbreviations
relative clauses with prepositions I simple past (I): regular verbs

Kommunikation

1 Da fehlt doch was!

a What are the people doing? Match the expressions with the pictures. Describe them.

Vera und ihre Schwester

Dario

Karina und ihre Freundin

> die Rucksäcke packen • dekorieren • einen Ausflug planen •
> eine Party vorbereiten • eine Präsentation am Computer
> vorbereiten • die Tische aufstellen • einen Vortrag /
> ein Referat für die Schule machen • die Campingausrüstung
> checken • Informationen sammeln • Musik hören

> *Vera und ihre Schwester*
> *bereiten eine Party vor.*
> *Sie …*

b Are the students missing something? Write an assumption for each picture.

> *Wahrscheinlich fehlt Vera …*
> *Eventuell braucht Vera auch …*
> *Dario sucht vielleicht …*
> *Karina und ihre Freundin brauchen sicher …*

assumptions
bestimmt/sicher
wahrscheinlich
vielleicht
eventuell

1.36

c Listen to the radio show. What do these people really need?

> *Vera braucht …*

d Where do you look for help when you need
something? Collect ideas as a class.

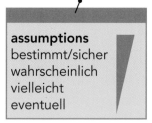

> *im Klassenforum, …*

2 Ich brauche dringend …

a Read the texts. What do the people need and why?

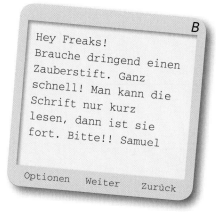

A

Dringend! Gesucht! Alte Fotos von Maxhausen!!!
Unser Geschichtsprojekt ist super. Aber die Bilder sind eine Katastrophe. Ist deine Oma oder dein Opa aus Maxhausen? Haben sie vielleicht alte Fotos oder Karten im Keller? Bitte frag sie! Ich passe supergut auf!!!
Isabella 0157 29183764

B
Hey Freaks!
Brauche dringend einen Zauberstift. Ganz schnell! Man kann die Schrift nur kurz lesen, dann ist sie fort. Bitte!! Samuel

Optionen   Weiter   Zurück

C
Wer hat einen Kletterbaum, den er nicht mehr braucht? Meine kleine Katze Minka sagt danke!
Eva 0487-1357972

Einstein 2.0 **D**
Ich habe eine Prüfung in Mathe! Total schwer, aber ich will sie schaffen. Wer hat schon mal die Wiederholungsprüfung für die 8. Klasse bei Adam Zwerg gemacht? Und geschafft!?! Ich bin sooooo verzweifelt. Wer kann mir helfen?

Samuel braucht einen Zauberstift.

Ich glaube, er möchte in der Prüfung schummeln.

b Match. Which answers fit with which problems from 2a?

1. Ich habe einen Stift,
2. Ich kann dir das Heft leihen,
3. Wir haben einen Kletterbaum,
4. Meine Oma hat Fotos,

a   mit dem ich für die Prüfung gelernt habe.
b   auf denen man viel vom alten Maxhausen sieht.
c   mit dem man unsichtbar schreiben kann.
d   auf den unsere Katze oft geklettert ist.

3 Erfindungen, auf die die Welt wartet

a What would be good? Write relative clauses.

1. eine Brille: Man kann mit ihr durch Wände sehen.
2. ein Computer: Man kann mit ihm diskutieren.
3. Schuhe: Man kann mit ihnen viel schneller gehen.
4. ein Auto: Für das Auto braucht man keinen Fahrer.

1. eine Brille, mit der man durch Wände sehen kann

relative clauses with prepositions		
der	für den	mit dem
das	für das	mit dem
die	für die	mit der
die	für die	mit **denen**

▶TM b What do you want to invent? What could it be used for? Collect ideas in class.

ein Auto	Es fährt ewig.	Wir bauen ein Auto, das ewig fährt.
	Man braucht keine Energie für das Auto.	Wir erfinden ein Auto, für das man keine Energie braucht.

4 Ein Projekt über Grenzen

a What did the students do? Match the materials with the project phases. There are multiple possibilities.

A Kontakt herstellen   B Arbeit im Projekt planen   C sich informieren   D Ausflug machen   E Ergebnisse präsentieren

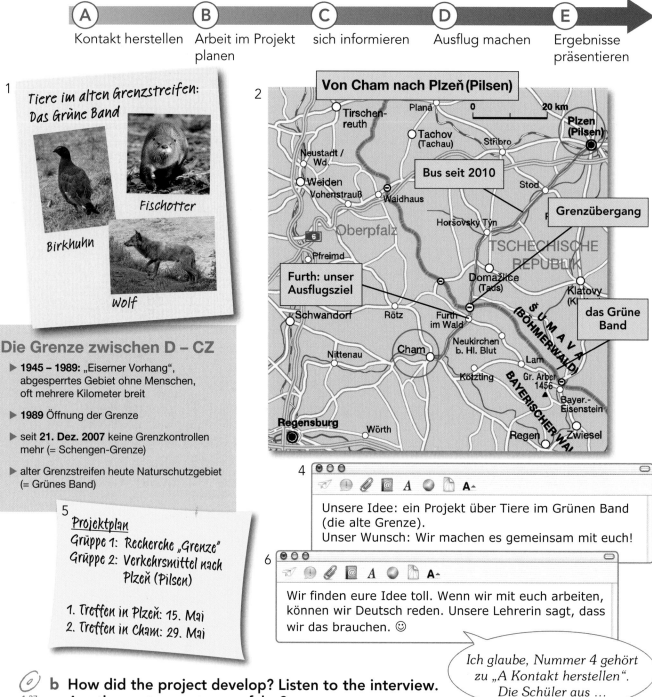

1 Tiere im alten Grenzstreifen: Das Grüne Band

Fischotter

Birkhuhn

Wolf

2 **Von Cham nach Plzeň (Pilsen)**

Bus seit 2010

Grenzübergang

Furth: unser Ausflugsziel

das Grüne Band

3

Die Grenze zwischen D – CZ

▶ **1945 – 1989:** „Eiserner Vorhang", abgesperrtes Gebiet ohne Menschen, oft mehrere Kilometer breit

▶ **1989** Öffnung der Grenze

▶ seit **21. Dez. 2007** keine Grenzkontrollen mehr (= Schengen-Grenze)

▶ alter Grenzstreifen heute Naturschutzgebiet (= Grünes Band)

5 Projektplan
Gruppe 1: Recherche „Grenze"
Gruppe 2: Verkehrsmittel nach Plzeň (Pilsen)

1. Treffen in Plzeň: 15. Mai
2. Treffen in Cham: 29. Mai

4 Unsere Idee: ein Projekt über Tiere im Grünen Band (die alte Grenze).
Unser Wunsch: Wir machen es gemeinsam mit euch!

6 Wir finden eure Idee toll. Wenn wir mit euch arbeiten, können wir Deutsch reden. Unsere Lehrerin sagt, dass wir das brauchen. ☺

Ich glaube, Nummer 4 gehört zu „A Kontakt herstellen". Die Schüler aus …

b How did the project develop? Listen to the interview. Are the sentences true or false?
1.37

1. Die Schüler aus Cham hatten die Idee zum Projekt. Sie wollten draußen lernen.
2. Die deutschen Schüler haben den Kontakt mit der tschechischen Klasse hergestellt.
3. Den tschechischen Schülern hat die Idee gefallen.
4. Die tschechischen Schüler haben ihre Eltern gefragt, wie es früher war.
5. Die Schüler aus Pilsen haben Informationen im Internet gesucht.
6. Aus dem Projekt wollten die Lehrer eine Ausstellung machen.

5 Über die Grenze

a Read the newspaper article and the questions. Which answer is correct?

Über die Grenze: Ausstellung in Cham eröffnet

So viele Erwachsene gehen selten in die Schule. 120 Personen besuchten die Eröffnung der Ausstellung „Über die Grenze" von den Schülern der 8. Klasse des Therese-Giehse-Gymnasiums in Cham.

Biologielehrerin Rosa Wulff sagte bei der Eröffnung: „Ich wollte, dass meine Schüler die Tiere in unserer Umgebung aktiv kennenlernen, nicht nur aus Büchern und dem Internet. Die frühere Grenze ist eine wunderbare Gelegenheit dafür. Daraus ist aber viel mehr geworden. Die Schüler wollten mit Jugendlichen von der anderen Seite der Grenze gemeinsam arbeiten und sie haben alles selbst organisiert."

Bei der Eröffnung präsentierten Schüler aus Cham und aus Pilsen gemeinsam ihre Arbeiten. Die Klassensprecherin aus Pilsen begrüßte die Gäste auf Tschechisch und Deutsch.

„Wir konnten nur zusammenarbeiten, weil die Mitschüler aus Pilsen Deutsch lernen. Aus unserer Klasse können leider nur ein paar ein bisschen Tschechisch", sagte die Klassensprecherin Lea Span aus Cham.

„Am Anfang war das Thema Biologie. Aber dann haben wir schnell festgestellt, dass wir mehr Informationen brauchen: Warum war diese Grenze geschlossen? Warum gibt es heute diesen Streifen Natur, das Grüne Band? Wir haben viel von unseren Eltern und auch von anderen Leuten gelernt, mit denen wir geredet haben", berichtete die Schülerin Mirka Kowarova aus Pilsen.

Zum Schluss dankten die beiden Direktoren den Schülern und gratulierten ihnen: „Was wir heute sehen, ist euer Erfolg."

Die Ausstellung im Gymnasium in Cham ist bis zum 16. Juli geöffnet. Im Herbst kann man sie dann auch in Pilsen sehen. (bez, cham)

Stolz auf ihr gemeinsames Projekt: Lea Span und Mirka Kowarova.

1. Was sagte Frau Wulff bei der Eröffnung?
   A Die Schüler lernten viel aus Büchern und dem Internet.
   B Die Schüler organisierten das Projekt selbst.

2. Was machten die Schüler bei der Eröffnung?
   A Die Klassensprecherin aus Cham begrüßte die Gäste.
   B Schüler von beiden Schulen präsentierten ihre Arbeit.

3. Was passierte am Anfang des Projekts?
   A Die Schüler brauchten mehr Informationen.
   B Die Schüler redeten mit Lehrern und Direktoren.

4. Was war am Schluss der Eröffnung?
   A Die Besucher gratulierten den Schülern.
   B Die Direktoren dankten den Schülern.

 b Match the expressions and write a report about the project.

viele neue Sachen lernen
ein Projekt organisieren
mit anderen Schülern gemeinsam arbeiten
eine Ausstellung machen
mit vielen Leuten reden

simple past (I): regular verbs		
	er/es/sie	sie
sagen	sag**te**	sag**ten**
organisieren	organisier**te**	organisier**ten**
arbeiten	arbeit**ete**	arbeit**eten**

Die Schüler aus Cham organisierten ein tolles Projekt. Gemeinsam mit ...

6 Unsere Partnerschule in Frankreich

1.38

a Listen to the conversation. Answer the questions using keywords.

1. Seit wann gibt es die Partnerschaft?
2. Wie oft schreiben sie sich?
3. Was haben sie schon zusammen gemacht?
4. Wann planen sie das nächste Treffen?
5. Wie kann Keiko mitmachen?

b Read the e-mail from Keiko.
Why does Nadja write "_So geht das nicht._"? Discuss in class.

● ● ●

✈ ⊘ ⬭ @ A ⬤ ▯ A⁻

Von: naddi2408@gx.de
An: tashigixtsuno@ts.jp
Betreff: Re: Kann ich das so schreiben?

Hi Keiko,
entschuldige, wenn ich das so direkt sage ;-), aber du schreibst ja superhöflich! Schreibt ihr in Japan immer so? So geht das nicht. Ich helfe dir morgen, okay? Nadja

-----Ursprüngliche Nachricht-----
Von: tashigixtsuno@ts.jp
An: naddi2408@gx.de
Gesendet: heute, 14:23 Uhr
Betreff: Kann ich das so schreiben?

Liebe Nadja, könntest du bitte meine Mail lesen? Kann ich sie so an die Lehrerin in Frankreich schicken? Vielen Dank! Du bist ein Schatz! Keiko

Sehr geehrte Madame Ribot,
verzeihen Sie bitte, dass ich mich mit dieser Bitte an Sie wende. Ich bin seit einigen Wochen an der wunderbaren Schule in Glücksdorf und habe daher erst heute von der interessanten Partnerschaft mit Ihrer Schule erfahren.
Ich bewundere Ihre Arbeit und möchte Ihnen meinen großen Respekt mitteilen. Französisch ist nicht nur mein Lieblingsfach, sondern auch meine innige Leidenschaft. Mit dem größten Vergnügen würde auch ich gerne an diesem erfolgreichen Projekt teilnehmen.
Natürlich weiß ich, dass dies für Sie sehr viel Arbeit bedeutet, und wenn es für Sie nicht möglich ist, dann habe ich das größte Verständnis. Dennoch wäre ich mehr als dankbar, wenn Sie für mich eine E-Mailpartnerin finden könnten.
Für eine baldige Antwort wäre ich Ihnen sehr verbunden.
Hochachtungsvoll
Keiko Tanaka

---

c Work with a partner and modify the e-mail from Keiko. The box helps.
Some words and sentences in the e-mail can be deleted.

> Aber ich würde mich freuen, wenn Sie für mich eine E-Mailpartnerin finden könnten. • Wenn das nicht möglich ist, dann verstehe ich das natürlich. • Mit freundlichen Grüßen • entschuldigen Sie bitte, dass ich an Sie schreibe. • Ich finde toll, dass Sie diese Partnerschaft organisieren. • Vielen Dank für eine schnelle Antwort. • Deshalb würde ich gern an dem Austausch teilnehmen. • Französisch ist nicht nur mein Lieblingsfach, sondern auch mein Hobby.

7 Chat mit der französischen Partnerin

a Read the chat conversation between Nadja and Marie. What are they writing about?

1	Naddi2408:	Salut Marie
	M@rie:	Hallo!
	Naddi2408:	Alles klaro?
	M@rie:	?
5	Naddi2408:	Der Deutschtest?
	M@rie:	*ächz* – ganz schön schwer!
	Naddi2408:	Deutsch is eben schwer ☺
	M@rie:	Du kannst es ja schon …
	Naddi2408:	Aber Franz is nich leichter. ☹
10	M@rie:	Is doch ganz leicht!
	Naddi2408:	lol. Große Neuigkeit!
	M@rie:	wasislos?
	Naddi2408:	Wir haben ne Neue in der Klasse. Kommt aus Japan.
15	M@rie:	8-o Japan? Cool. Nett?
	Naddi2408:	Total. Spricht auch super Deutsch – und Französisch.
	M@rie:	Wie heißt sie denn?
	Naddi2408:	Keiko.
20	M@rie:	OMG! Andere Länder, andere Namen … ☺
	Naddi2408:	Sie will auch mit nach F.
	M@rie:	Bonne chance.
	Naddi2408:	muss los.
25	M@rie:	wie schaaade!
	Naddi2408:	melde mich asap!
	M@rie:	Freu mich. knuddel!

A Über eine Prüfung in Französisch.
B Über eine neue Schülerin.
C Über eine Reise nach Japan.
D Über den Schüler Franz.

b Work with a partner. Match the sentences with their abbreviations and symbols in the chat.

1. Wie geht es dir?
2. Ich verstehe nicht.
3. Das ist anstrengend.
4. Aber Französisch ist nicht leichter.
5. Ich bin traurig.
6. Lautes Lachen

7. Was ist los?
8. Ich bin erstaunt.
9. Oh mein Gott.
10. Viel Glück.
11. Ich muss jetzt losgehen.
12. so bald wie möglich
13. Ich umarme dich.

„Alles klaro?" bedeutet „Wie geht es dir?".

8 Viele Konsonanten

1.39 **a Listen to the words and speak along.**

1.40 **b Read the words and listen to check your pronunciation.**

At first read the words slowly, then gradually faster.

1. der Grenzstreifen
2. der Zeitungsartikel
3. der Deutschtest
4. das Geschichtsprojekt
5. die Klassensprecherin
6. die Wiederholungsprüfung

9 Der HDL-Song von Jasper

a **Read the verses from the song about internet- and text-language. What does the singer think about this language?**

Heut' muss ich dir mal was sagen, was ich echt nicht gerne tu.
Ich fühl mich mental geschlagen und der Grund dafür bist du.
Oder vielmehr deine Sprache oder was du Sprache nennst,
denn ich frag mich, bitte lach nicht, ob du auch ganze Sätze kennst.
Wenn ich etwas witzig finde, nenn ich's „lustig" oder „toll",
doch mein Verlegenheitsgegrinse kommentierst du nur mit *lol*

[...]

Ich sag nur: H D G D L F I U E B A E D.
Wie, das kannst du nicht verstehen? Tja, dann kauf dir noch 'n W!
„Freu mich, dich wiederzusehen!", das sagst du so, wie man es spricht.
Ich sag „C Y A" in dein sprachloses Gesicht.
Du, deine Smileys sind echt klasse, ich weiß bloß nie, was du meinst.
Und wenn ich eines wirklich hasse, dann dein Chatting-Einmaleins!
Beginnt mit A wie *achselzuck*, soll heißen: „Ich weiß nicht Bescheid."
Hört auf mit Z wie *zornig-guck*, ich übersetz' das mal mit „Neid".
Willst du dich bei wem bedanken, machst du höflich einen Knicks.
Ich steh jenseits dieser Schranken und sag lässig „T H X".

Verlegenheit = Gefühl, dass mir etwas peinlich ist

Gegrinse = Grinsen

Achselzuck

Zornig-Guck

Neid

Knicks

Schranke

lässig = cool

 b **Listen to the song. How do you like it?**

1.41

c **Listen again. Which abbreviations do you hear? Write them down in your notebook.**

OMG (oh mein Gott) • NP (no problem = gern geschehen) • LG (liebe Grüße) • HDL (hab dich lieb) •
ROFL (rolling on the floor laughing) • BTW (by the way = übrigens) • KP (kein Plan = keine Ahnung) •
BB (bis bald) • LOL (laughing out loud = lautes Lachen) • SRY (sorry = Entschuldigung) •
ASAP (as soon as possible = so bald wie möglich) • MOM (Moment)

 d **Read the comments about the song from the internet. Work with a partner and write your own comment.**

– Also, ich find dich und den Song echt cool.
– Seine Lieder find ich wirklich sehr gut. Und man lernt etwas über Abkürzungen ;)
– 948 Personen haben „mag ich nicht" geklickt … wahrscheinlich schreiben sie selber so und sind jetzt beleidigt. Rofl!
– Das Lied ist o. k., aber ich kenne niemanden, der so schreibt oder spricht!
– Toller Text + tolle Stimme = Hammerlied ☺☺☺

10 Abkürzungen
Work in a group of three and invent abbreviations. Read them to the class. The others guess their meaning.

DS

Danke schön.

Kannst du das schon?

Vermutungen ausdrücken

- Bestimmt/Sicher möchte Vera eine Party machen.
- Wahrscheinlich läuft gute Musik.
- Vielleicht wird es eine Überraschungsparty.
- Eventuell kommen viele Gäste.

Expressing assumptions

You are planning to celebrate with a party. Write 3 assumptions about what's going to happen.

etwas beschreiben

- Ich brauche dringend einen Stift. Man kann die Schrift nur kurz lesen.
- Wir brauchen Fotos. Auf den Fotos sieht man Menschen von früher.

Describing something

Describe 2 things that you would like to have.

Relativsätze mit Präpositionen

- Ich hätte gern einen Computer, mit dem ich diskutieren kann.
- Sie will ein Buch, mit dem sie Filme ansehen kann.
- Er möchte eine Brille, mit der man durch Wände sehen kann.
- Ich wünsche mir jeden Tag neue Jeans, für die ich nichts zahlen muss.

Relative clauses with prepositions

Write relative clauses:
Ich möchte …

- *Ich kann mit ihm Filme ansehen.*
- *Ich kann mit ihr durch Wände sehen.*
- *Ich muss für sie nichts zahlen.*

Präteritum (I): regelmäßige Verben

- Die Schüler aus Cham und Pilsen arbeiteten gemeinsam.
- Die Schüler lernten viel durch das Projekt.
- Der Direktor gratulierte den Schülern zum Erfolg.

Simple past (I)

Write 3 sentences in the simple past with *arbeiten, lernen, gratulieren*.

sich passend ausdrücken

Sehr geehrte Frau Ribot – Liebe Frau Ribot

Verzeihen Sie mir. – Entschuldigen Sie bitte.

Ich habe das größte Verständnis. – Ich verstehe das.

Für eine baldige Antwort wäre ich Ihnen sehr verbunden. – Vielen Dank für eine schnelle Antwort.

Hochachtungsvoll – Mit freundlichen Grüßen

Appropriately expressing yourself

Say simpler sentences.
*Verzeihen Sie mir.
Ich habe das größte Verständnis.
Ich wäre Ihnen sehr verbunden.*

Abkürzungen verstehen

lol – lautes Lachen

OMG – Oh mein Gott!

KP – kein Plan

knuddel – ich umarme dich

HDL – Ich habe dich lieb

LG – liebe Grüße

Understanding abbreviations

Write a text message. Use 5 abbreviations.

- So geht das nicht.
- Du bist ein Schatz!
- Wie schade!

> *So geht das nicht.*

7

We will learn:
talking about past events | telling and writing a story
simple past (II): irregular verbs | sentences with *als* | sentences with *bis*

Geschichte(n)

„Avatar": neue Dimensionen

1 Bilder erzählen Geschichten.

1.42 **a** **Which film could this be?**
Listen to the film quiz on the radio and match.

Der erste Film
gehört zu Bild …

„Nosferatu" –
große Gesten ohne Worte

12 Minuten lang – der erste
Film von Edwin S. Porter,
„Der große Eisenbahnraub"

Marilyn Monroe,
der Mythos aus
„Manche mögen's heiß"

Micky Maus spricht zum ersten Mal.

„Titanic" gewinnt 11 Oscars.

b **Which texts fit with which pictures? Write the film titles.**

1 Das war der erste Western. Und es war der erste Film, der eine komplette Geschichte erzählte. Er entstand 1903.

2 1922 wurde dieser Film fertig. Die Schauspieler sprachen zwar, aber man hörte sie nicht. Ein Musiker spielte im Kino Klavier.

3 Am 18. November 1928 kam diese Figur auf die Welt. Ihr Vater war Walt Disney. Er gab der Figur auch seine Stimme.

4 Sie war der blonde Filmstar der 50er-Jahre. Zu ihrem Mythos gehört ihr früher Tod 1962, als sie gerade 36 Jahre alt war.

5 Die traurige Liebesgeschichte gewann 1998 elf Oscars. Bei keinem anderen Film weinten so viele Zuschauer im Kino.

6 Der Film kombinierte Schauspieler im Studio und Animation am Computer. Außerdem gab es moderne 3-D-Technik.

1C Der große Eisenbahnraub

c Fill in the verbs in simple past. Write the sentences in your notebook.

1. Der erste Western 🐾 1903.
2. „Nosferatu" 🐾 1922 fertig.
3. 1928 🐾 Micky und Minnie auf die Welt.
4. Marilyn Monroe 🐾 eigentlich Norma Jeane Baker.
5. Das Glück von Rose und Jack auf der Titanic 🐾 schnell zu Ende.
6. Keinen Film 🐾 mehr Leute als „Avatar".

simple past (II): irregular verbs		
	er/es/sie	sie
entstehen	entstand	entstanden
gehen	ging	gingen
heißen	hieß	hießen
kommen	kam	kamen
sehen	sah	sahen
werden	wurde	wurden

> 1. Der erste Western entstand 1903.

2 Das hat mir einmal gefallen …

a What are the boys doing? Collect as a class.

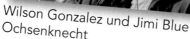

DIE POWERBRÜDER OCHSENKNECHT

Wilson Gonzalez und Jimi Blue Ochsenknecht

> Ich denke, sie sind Schauspieler.

b Read the statements. What did Luca and Fabian like in the past? Why?

Ich habe alle „Wilden Kerle"-Filme gesehen, als ich 10 war. Das war eine Clique, die sich immer auf dem Fußballplatz getroffen hat. Ihre Fahrräder waren super. Ich wollte auch ein Fahrrad haben, das so laut wie ein Motorrad ist! Marlon war der Beste, darum habe ich auch Wilson Gonzalez so toll gefunden.

Ich habe nur ein bisschen Fußball gespielt, ich war nicht gut. Aber ich wollte so gut sein wie Leon, der Chef der „Wilden Kerle". Deshalb habe ich auch Jimi Blue geliebt, der Leon gespielt hat. Vor ein paar Tagen habe ich eine DVD angesehen: Ich kann gar nicht glauben, dass mir das einmal gefallen hat.

c Which movies did you like in the past? What kind of music did you listen to? What do you like now? Talk about it in groups.

> … habe ich geliebt. … habe ich vier Mal gesehen.

> … finde ich immer noch gut.

telling a story
simple past for all these verbs:
ich war, hatte, wurde
ich wollte, konnte, musste …
present perfect for all other verbs:
ich habe gemacht
ich bin gegangen

3 Karriere eines Kinderstars

a **Read the text. Then make a timeline with the most important information.**

Vom Kinderstar zum reifen Schauspieler   13

Wilson Gonzalez Ochsenknecht ist Schauspieler, ebenso wie sein Vater und sein Bruder. Das ist keine Überraschung. Eine Überraschung ist, welche Filme er schon gemacht hat. Er ist ein großer Schauspieler geworden.

Wilson Gonzalez war kaum 10 Jahre alt und spielte schon in seinem ersten Film, gemeinsam mit seinem Vater Uwe Ochsenknecht und seinem damals achtjährigen Bruder Jimi Blue. Der Film war ein großer Erfolg. Bald danach wurde er ein „wilder Kerl". „Die wilden Kerle" war eine Filmreihe über eine Clique von Jugendlichen – der junge Schauspieler war gerade 13 Jahre alt. Als drei Jahre später auch der vierte Teil der Serie fertig war, wollte Wilson Gonzalez kein „wilder Kerl" mehr sein. Er wollte etwas Neues machen.

Deshalb ging er für ein Jahr in die USA und besuchte eine Kunstschule. Er begann, sich stärker für Musik zu interessieren. Als er aus den USA zurückkam, entstanden die ersten Raptexte. Zwei Jahre später erschien das erste Album mit seiner Band „Heads On The Rocks". Es hieß „Cookies". Ein Jahr darauf zog er von München nach Berlin in „seine Stadt", wie er sagt. „Frühlingserwachen" war sein erster Berliner Film und wurde ein großer Erfolg. Und jetzt, im ersten Jahr in Berlin, beginnt Wilson Gonzalez Ochsenknecht das nächste Projekt: Er steht zum ersten Mal hinter der Kamera und ist selbst Regisseur.

---

mit 10 Jahren	mit 13	mit 16	mit 19	mit 20
der erste Film				

b **How old was Wilson Gonzalez? Write sentences in simple past with *als*.**

1. Er spielt in seinem ersten Film.
2. Er wird ein „wilder Kerl".
3. Er geht in die USA in eine Kunstschule.
4. Das erste Album erscheint.
5. Er zieht nach Berlin.

Clauses with "als" always in the past.

sentences with *als*

Wilson Gonzalez (war) 10 Jahre alt.
Er (spielte) in seinem ersten Film.

Als Wilson Gonzalez 10 Jahre alt (war),
(spielte) er in seinem ersten Film.

c **What can (can't) a child celebrity do? Discuss in class.**

> in einem Verein Sport machen • dauernd shoppen gehen •
> mit Freunden abhängen • Party machen • in Hotels schlafen • …

Nein. Lebe ich in …?

4 **Wer bin ich?**
▶TM **Play as a class.**

Each person writes a movie star or movie character on a piece of paper. Stick the paper to the back of a classmate. Go around the class and ask yes/no-questions. For each "yes" answer you may ask that same person another question, for each "no" you must move on and ask another student. Who knows first who he/she is?

Bin ich ein Schauspieler?

5 So ein Tag aber auch!

a **What do Kolja and Robbie probably have planned?**
Discuss in class.

> schulfrei haben • auf ein Konzert gehen • an den See gehen • nicht lernen •
> zum Straßenfest gehen • sich einen schönen Tag machen • grillen •
> gute Sachen zum Essen und Trinken mitnehmen • Keiko und ihre Freundin Anna treffen •
> Musik hören • Parkour trainieren • schwimmen • die Parkourshow von Profis sehen

> *Kolja hatte wahrscheinlich einen Tag schulfrei. Er wollte …*

> *Robbie wollte vielleicht …*

b **Work in groups. Choose a picture and tell a story: What happened?**
Why couldn't Kolja and Robbie do what they wanted to do?

1

2

3

4

5 Eure
Idee?

> *… hatte Pech. Eine Wespe hat … gestochen. Deshalb …*

> *… durfte nicht weggehen. Der Vater … und … musste Rasen mähen …*

1.43
c **What do Kolja and Robbie say? Choose appropriate statements.**

1. Am Vormittag musste Kolja für die Physik- und Biologietests lernen.
2. Kolja hat das Picknick am See vorbereitet.
3. Kolja konnte Keiko nicht anrufen, weil er ins Krankenhaus musste.
4. Robbie hat mit seinem Vater den Opa besucht.
5. Robbie hat im Haus und im Garten von seinem Opa gearbeitet.
6. Weil Robbie früh zurück war, konnte er das Konzert von „Kulturschock" hören.

6 Die Geschichte von Klaus Störtebeker

a Read the text and the descriptions.
Fill in the terms Held, Pirat and Denkmal.

Mitten im Hamburger Hafen steht seit 1982 ein Denkmal auf einem Stein. Es ist ein einfacher Mann mit Bart. Er trägt nur eine Hose und blickt über die Schulter. Die Hände sind zusammengebunden. Das Denkmal zeigt Klaus Störtebeker. Klaus Störtebeker war ein Pirat. Aber warum bekommt ein Pirat ein Denkmal? Er ist ein Held, den die Menschen nicht vergessen haben. Seine Geschichte gehört zu Hamburg genauso wie der Hafen, wo sein Denkmal steht.

1. Ein 🐾 ist eine Person, die viele Menschen bewundern.
2. Ein 🐾 erinnert an eine Person oder an ein Ereignis.
3. Seeleute haben Angst vor 🐾, denn sie überfallen andere Schiffe und nehmen die Waren weg.

b Read the first part of the story. Which excerpt fits with which picture?

1 Klaus Störtebeker war Seemann und Kapitän, aber dann wurde er Pirat. Vor mehr als 600 Jahren überfiel er mit seinen Männern in der Nordsee und Ostsee
5 viele Schiffe und nahm den Seeleuten die Waren weg. Er wollte nicht selbst reich werden, sondern er verkaufte die Waren und verteilte das Geld an seine Mannschaft und an die Armen.
10 Die reichen Kaufleute von Hamburg verloren also ihre Waren und manchmal sogar ihre Schiffe. Sie sprachen mit dem Bürgermeister, denn sie wollten Störtebeker fangen.

15 Dann schickten sie zwei große, neue Schiffe mit vielen Soldaten, die sie bezahlten. Es dauerte ziemlich lange, bis die Soldaten Klaus Störtebeker und seine 73 Männer fanden.
20 Es gab einen schrecklichen Kampf auf dem Meer, den Störtebeker schließlich verlor. Die Soldaten brachten ihn und seine Mannschaft als Gefangene nach Hamburg.

B

A

C

D

c Read the rest of the story. Answer the questions.

1 Der Richter sprach ein schreckliches Urteil gegen Klaus Störtebeker und seine Männer: „Alle müssen sterben." Am 20. Oktober 1401 sollte der Henker allen
5 Piraten den Kopf abschlagen. Klaus Störtebeker und seine Mannschaft standen in einer Reihe. Er war der Erste. Er hatte noch eine letzte Bitte an den Bürgermeister und den Richter. Er wollte,
10 dass jeder Pirat leben darf, an dem er ohne seinen Kopf vorbeilaufen konnte. Der Bürgermeister und der Richter waren einverstanden. Der Henker schlug Klaus Störtebeker
15 den Kopf ab. Dieser lief an 11 Männern vorbei, bis ihm der Henker ein Bein

stellte und er auf den Boden fiel. Aber der Bürgermeister hielt sein Versprechen nicht. Der Henker tötete alle 73 Männer.

20 Das ist die Geschichte von Klaus Störtebeker: Er war ein Pirat und ist ein Held geworden. Deshalb bekam er 600 Jahre später in Hamburg ein Denkmal.

1. Welche Strafe bekamen die Piraten?
2. Wann starben die Männer?
3. Mit wem hat Störtebeker gesprochen?
4. Wie viele Männer konnte er retten?
5. Wer hielt sein Versprechen nicht?
6. Was ist Störtebeker heute?

 d The story in five sentences. What fits together? Write sentences with *bis*.

Störtebeker bekam ein Denkmal. • Die Kaufleute schickten Soldaten. • Er wurde Pirat. •
Der Henker stellte ihm ein Bein. • Sie besiegten Störtebeker.

1. Störtebeker war Seemann und Kapitän, …
2. Er überfiel so lange Schiffe, …
3. Die Soldaten mussten lange kämpfen, …
4. Er lief so lange ohne Kopf, …
5. Es dauerte fast 600 Jahre, …

1. Störtebeker war Seemann und Kapitän, bis er Pirat wurde.

sentences with *bis*
Störtebeker ⟨war⟩ Seemann und Kapitän.
Er ⟨wurde⟩ Pirat.

Störtebeker ⟨war⟩ Seemann und Kapitän,
bis er Pirat ⟨wurde⟩.

7 Lange und kurze Vokale

 a Are the highlighted vowels long _ or short .? Write your answers in your notebook. Listen to check your answers.
1.44

1. gehen – ging – gegangen
2. sprechen – sprach – gesprochen
3. bringen – brachte – gebracht
4. kommen – kam – gekommen

1. gehen – ging –

 b Listen and speak along.
1.45

1. geben – gab – gegeben
2. ziehen – zog – gezogen
3. werden – wurde – geworden
4. halten – hielt – gehalten

8 Es ist anders gekommen.

a Are you familiar with stories about heroes or mythical creatures? Collect them.

b Form groups. Think of a story. Collect the keywords and match them with parts A–D. Also think up a title for the story.

C
Das Wichtigste:

– Was wurde anders?
– Was hat die Hauptperson gefühlt?

B
Erzählt länger und genauer:

– Was war los?
– Was ist passiert?
– Was hat die Hauptperson gemacht oder gedacht?

D
Kurzer Schluss:

– Warum ist die Geschichte wichtig?

A
Kurze Einleitung:

– Was möchtet ihr erzählen?
– Wo war das?
– Wann?
– Wer war dabei?

c Which parts A–D do these expressions fit with? Match.

Es war einmal … • … hatte Angst. • Ein paar Tage/Monate/Jahre später … •
An diesem Tag … • Plötzlich … • Deshalb ist heute … •
Es war schön/schrecklich/gefährlich … • Vor vielen Jahren … •
… war überrascht. • Schließlich … • Es war ein besonderer Tag, weil … •
Wir möchten heute die Geschichte von … erzählen. • Die Geschichte zeigt, dass … •
Dies ist die Geschichte von … • … ist sehr bekannt/berühmt.

d Write down your story. Read it to the class.

Das ist die Geschichte von …
Vor vielen, vielen Jahren ging …

writing a story
simple past for all verbs:
er/es/sie   machte, sagte …
er/es/sie   kam, ging, dachte …

Kannst du das schon?

über Vergangenes sprechen

- Ich war ein Fan von ...
- Ich habe ... / die Filme von ... geliebt.
- Ich hatte mit den Filmen / der Musik von ... viel Spaß.
- Ich habe ... im Fernsehen toll gefunden.
- Ich habe immer ... gesehen/gehört.
- Bei der Musik von ... wurde es mir nie langweilig.
- Ich konnte alle Lieder von ... singen.

Präteritum (II): unregelmäßige Verben

- Marylin Monroe hieß eigentlich Norma Jeane Baker.
- Der Film „Avatar" entstand 2009.
- Micky und Minnie Mouse kamen 1928 auf die Welt.
- Der Film „Titanic" gewann elf Oscars.

Sätze mit als

- Als Wilson Gonzalez 10 Jahre alt war, spielte er in seinem ersten Film.
- Als er 13 Jahre alt war, wurde er ein „Wilder Kerl".
- Als er 16 war, ging er für ein Jahr in die USA.
- Als er 19 war, zog er nach Berlin.

Sätze mit bis

- Störtebeker war ein Seemann, bis er ein Pirat wurde.
- Er überfiel Schiffe, bis die Kaufleute Soldaten schickten.
- Störtebeker lief so lange, bis der Henker ihm ein Bein stellte.
- Es dauerte 600 Jahre, bis Störtebeker ein Denkmal bekam.

eine Geschichte schreiben

- Zuerst wollte Robbie zum Straßenfest gehen.
- Doch sein Vater erlaubte es nicht.
- Robbie musste dem Vater helfen.
- Er fuhr also in Opas Garten und mähte den Rasen.
- Robbie war sehr sauer, denn er konnte die Bands auf dem Straßenfest nicht hören.
- Als er später ins Jugendzentrum ging, erzählte er Kolja von seinem Tag.

- Es war einmal ...
- ... finde ich immer noch gut.
- Er hatte ganz schön Pech.

Once again, please

Talking about past events

What did you like in the past?

Tell about movies or music.

Simple past (II)

Give the simple past form: *sie heißt, er entsteht, sie kommen, er gewinnt*

Sentences with *als*

Write sentences with *als* about Wilson Gonzalez.

10 – plays in his first movie

13 – becomes a *"Wilder Kerl"*

16 – goes to U.S.

19 – moves to Berlin

Sentences with *bis*

Complete the sentences:

Störtebeker war ein Seemann, bis ...

Er überfiel Schiffe, bis ...

Er lief so lange, bis ...

Es dauerte 600 Jahre, bis ...

Writing a story

Write the story about Robbie's day.

Straßenfest – Vater nicht erlauben – helfen müssen – Rasen mähen – sauer sein – Bands nicht hören – ins Jugendzentrum gehen – Kolja erzählen

Es war einmal ...

8

We will learn:
advice for receiving invitations | preparing and conducting interviews | talking about scenes | talking about languages
sentences with *obwohl* and *weil* | noun-verb constructions

So ist das bei uns.

1 Pias Pizzaabend

a **What do you think? What do the girls think?**

A

B

C

D

Auf Bild A denkt Keiko bestimmt: „Hoffentlich bin ich nicht zu spät."

Und Pia denkt vielleicht: …

1.46

b **Pia ist telling Kolja about the *Pizzaabend*. Listen to the conversation. What is correct?**

1. Keiko hat …   A Pia zum Geburtstag gratuliert.
                                 B Pia einen Geldbeutel geschenkt.

2. Keiko hat den ganzen Abend …   A nichts getrunken.
                                 B Getränke eingeschenkt.

3. Nadja putzte sich oft die Nase, …   A weil sie erkältet war.
                                 B weil die Pizza scharf war.

4. Pia hat sich …   A über Keiko gewundert.
                                 B über Nadja gewundert.

5. Kolja findet …   A Pizza mit Chili eklig.
                                 B Naseputzen beim Essen eklig.

2 Wie ist das in Deutschland?

a Keiko is writing to a German friend in Japan. Read the e-mail. How was the Pizzaabend for Keiko?

An: julia.japan@gx.de
Kopie:
Betreff: Komisch!

Hallo Julia,

wie geht es dir in Osaka? Was macht dein Japanisch? Hast du schon Heimweh?

Heute brauche ich mal deinen Rat. Gestern war ich bei Pia zum Pizzaabend eingeladen. Sie geht in meine Klasse. Ich dachte immer, die Deutschen sind ganz pünktlich, aber ich war die Erste. Soll ich das nächste Mal lieber nicht so pünktlich sein? Und die Schuhe anlassen? Pia hat gesagt, ich kann sie anlassen, aber bei Freunden von meinen Eltern muss man sie ausziehen. Bei uns in Japan ist das ja einfacher. Man zieht die Schuhe automatisch immer aus! Jetzt bin ich ganz unsicher.

Dann habe ich ein kleines Geschenk mitgebracht. Man kann doch nicht einfach so zu einer Einladung gehen. Aber Pia war total überrascht. Na ja, sie hat sich dann doch gefreut. Aber ich wusste nicht, dass ihr in Deutschland die Geschenke sofort auspackt. Sie hat nicht mal gefragt. Das war mir ziemlich peinlich. Man macht Geschenke doch erst auf, wenn die Gäste weg sind. Seltsam finde ich auch, dass sich die Deutschen überall die Nase putzen. Im Bus, im Unterricht und auch beim Essen!!! Aber daran muss ich mich wohl gewöhnen.

Die Pizza war superlecker und der Abend auch total lustig. Toll finde ich übrigens, dass man sich in Deutschland die Getränke auch selbst einschenken kann. Das habe ich aber erst zum Schluss gemerkt. Da hatte ich schon richtig Durst. Das habe ich doch richtig verstanden, oder?

Findest du uns Japaner eigentlich auch manchmal komisch ☺?

Liebe Grüße

Keiko

b What do Pia and Keiko think? Listen again to the conversation between Pia and Kolja and read Keiko's e-mail. Write down sentences about points 1-6.

1.46

1. pünktlich sein
2. Schuhe ausziehen
3. Geschenke mitbringen
4. Geschenke auspacken
5. Getränke einschenken
6. beim Essen Nase putzen

Pia denkt:
1. Japaner sind sehr pünktlich.
2. Viele Deutsche ...

Keiko denkt:
1. Die Deutschen sind ...
2. Alle Japaner ...

c Do you know of someone who has also acted strangely? Why? Tell the class about it.

3 Tipps für Einladungen

Imagine a student is a guest in your country and is invited out. With a partner, make a list of tips for points 1-6 from activity 2b. Can you think of any other important advice?

8

4 Eine bunte Schule

a Read the text. Who prefers to speak German, who prefers another language? Which one?

Eine Schule – viele Sprachen	35

Das Emil-Krause-Gymnasium in Hamburg ist eine besondere Schule, denn hier lernen Schüler aus 30 verschiedenen Ländern zusammen. Insgesamt sprechen die Schüler 40 verschiedene Sprachen. Im Unterricht sprechen aber alle Deutsch. Welche Sprachen die Schüler am liebsten sprechen und mit wem sie welche Sprache sprechen, haben wir die Schüler aus der 9. Klasse gefragt.

Ich bin Viktor und komme aus Russland. Ich bin jetzt seit drei Jahren in Deutschland. Mein Deutsch ist schon ziemlich gut, denke ich, obwohl ich noch viel lernen muss – besonders Schreiben. Das ist sehr schwer. Ich habe viele russische Freunde und mit ihnen spreche ich nur Russisch, mit meinen Eltern auch. Auf Russisch können wir am besten unsere Meinung sagen und natürlich fluchen. Nach der Schule möchte ich in Deutschland bleiben und studieren, deshalb will ich mein Deutsch verbessern.

Ich heiße Grace und ich bin in Deutschland geboren, aber meine Eltern kommen aus Ghana. Ich spreche am liebsten Deutsch, obwohl ich Englisch auch total cool finde. Zu Hause sprechen meine Eltern Twi mit mir und meinen Brüdern, aber wir antworten immer auf Englisch oder Deutsch, weil das einfacher ist. Twi finde ich auch nicht so wichtig. Keiner von meinen Freunden spricht Twi. Mit meinen Brüdern spreche ich nur Deutsch. Singen kann ich aber am besten auf Englisch.

Ich bin Büsra und bin Türkin, aber ich bin in Deutschland geboren. Zu Hause sprechen wir fast nur Türkisch. Meine Mutter möchte, dass wir Deutsch sprechen, weil sie Deutsch lernen möchte. Ich habe aber keine Geduld und spreche nach zwei Minuten wieder Türkisch, obwohl das nicht gut ist. So lernt meine Mutter nie Deutsch. Früher hatte ich Türkischunterricht. Ich mochte Türkisch nicht, weil alle anderen schon nach Hause gehen durften. Aber jetzt spreche ich genauso gern Türkisch wie Deutsch.

b When and why do the students use which language? With whom do they speak in their mother tongue, and with whom in German? Collect keywords.

c What fits: *obwohl* or *weil*? Write your answers in your notebook.

1. Viktor spricht schon sehr gut Deutsch, 🐾 er noch viel lernen muss.
2. Viktor spricht mit seinen Freunden Russisch, 🐾 sie auf Russisch besser ihre Meinung sagen können.
3. Grace spricht mit ihren Eltern Deutsch oder Englisch, 🐾 Twi schwerer ist.
4. Grace spricht am liebsten Deutsch, 🐾 sie Englisch auch total cool findet.
5. Büsra soll mit ihrer Mutter Deutsch sprechen, 🐾 die Mutter Deutsch lernen will.
6. Büsra redet mit ihrer Mutter Türkisch, 🐾 ihre Mutter so nicht Deutsch lernt.

> *1. Viktor spricht schon sehr gut Deutsch, obwohl er ...*

> **sentences with *obwohl* and *weil***
> Sie (spricht) am liebsten Deutsch, ...
> ... **obwohl** das nicht ihre Muttersprache (ist).
> ... **weil** das ihre Muttersprache (ist).

5 Sprachen in unserer Klasse

a Conduct an interview with a partner. Then demonstrate for the class.

1. Welche Sprachen sprichst du?
2. Wann benutzt du welche Sprache?
3. Welche Sprache sprichst du gut, welche nicht so gut? Warum?
4. Welche Sprachen möchtest du noch lernen?

> *Welche Sprachen sprichst du?*

> *Italienisch ist meine Muttersprache und ich lerne Englisch und Deutsch. Und du?*

 b Write three sentences with *obwohl* and three sentences with *weil* in your notebook.

Ich spreche ..., ...
Ich spreche (nicht) gut ..., ...
Ich spreche (nicht) gern ..., ...
Ich spreche am liebsten ..., ...
Ich möchte gern ... sprechen, ...

> *1. Ich spreche nicht gut Polnisch, obwohl meine Eltern aus Polen kommen.*

Das ist meine Muttersprache. • Meine Eltern kommen aus ... •
Ich habe nie/immer Vokabeln gelernt. • Ich habe nie/immer die Hausaufgaben gemacht. •
Ich finde die Sprache schön/cool/melodisch/... • Die Sprache ist leicht/schwer. •
Die Lehrerin / Der Lehrer ist toll. • Ich habe immer gute/schlechte Noten. • Ich kann die
Sprache noch nicht so gut. • Ich habe im Unterricht immer geschlafen/aufgepasst. • ...

neunundsechzig 69

6 Auf Zeitreise ins Mittelalter

a Read the interview. What are Ina and Clemens doing?

Salto im Gespräch:

Mittelaltermärkte, Ritterspiele, Burgfeste, überall gibt es sie fast das ganze Jahr und sie werden immer beliebter bei Jung und Alt. Wir von *Salto* haben Ina (15) und Clemens (18) in Meersburg getroffen und ihnen zur Faszination Mittelalter und Mittelaltermärkte viele Fragen gestellt.

5 **Salto: Warum interessieren sich heute so viele Menschen für das Mittelalter?**
Clemens: Das hat
10 mehrere Gründe. Die Leute haben Spaß am Verkleiden, haben Sehnsucht nach einem einfacheren Leben, nach

15 Helden, Mut und Abenteuerlust. Außerdem ist das Mittelalter die Inspiration für Geschichten wie zum Beispiel *Der Herr der Ringe*.
Und du, Ina? Seit wann interessierst du dich denn für das Mittelalter?
20 **Ina:** Eigentlich noch nicht so lange, also seit einem Jahr ungefähr. Früher habe ich sogar über Leute aus meiner Schule gelacht, die verkleidet auf Mittelaltermärkte gegangen sind. Die Leute waren für mich Spinner! (lacht)
25 **Und warum hast du deine Meinung geändert?**
Ina: Meine Cousins haben mich mal zu einem Mittelaltermarkt mitgenommen. Ich hatte anfangs keine Lust, aber sie haben mich dann
30 doch überredet. Als wir dann dort waren, hatte ich richtig viel Spaß. Es gab eine Band, die mittelalterliche Musik mit alten Instrumenten wie z. B. dem Dudelsack spielte, und ein Ritterturnier. Die Ritter waren Schauspieler

in tollen Kostümen 35 und sie hatten schöne Pferde. Überhaupt laufen ja viele Leute, auch Besucher, in Kostümen herum. 40 Das macht eine tolle Atmosphäre.
Clemens, auch du sorgst für eine tolle Atmosphäre bei solchen Veranstaltungen. 45 **Was genau machst du?**
Clemens: Ich werde erst am Abend aktiv, wenn es dunkel wird, denn ich bin ein Feuerspucker.

Ich lerne Feuerspucken schon seit drei Jahren, aber Auftritte habe ich dieses Jahr das erste Mal, weil mir meine Eltern endlich die Erlaubnis gegeben haben. Mein größter
Wunsch ist in Erfüllung gegangen. Mit meinen Auftritten verdiene ich auch etwas Geld. 60
Hast du vor einem Auftritt Angst? Bist du nervös?
Clemens: Ja, natürlich, aber meine Kollegen machen mir immer Mut, denn sie wissen, dass ich gut bin. Ich mache mir vor dem Auftritt 65 viele Gedanken: Wie ist das Publikum? Wie ist das Wetter? usw. Alles ist wichtig. Ich gebe mir einfach ganz viel Mühe und dann klappt meistens auch alles.
Eine letzte Frage: Ina, was machst du in 70 **deiner Freizeit, wenn du nicht auf einem Mittelaltermarkt oder Burgfest bist?**
Ina: Ich gehe z. B. zu Treffen mit anderen Mittelalterfans, mache selbst Schmuck, aber ich unternehme auch ganz normale Sachen 75 wie ins Kino gehen oder schwimmen.

b What is true, what is false? Correct the false sentences in your notebook.

1. Die Leute finden das Mittelalter interessant, weil das Leben heute zu einfach ist.
2. Ina hat früher nicht verstanden, warum Jugendliche auf Mittelaltermärkte gehen.
3. Ina findet es toll, dass so viele Leute auf den Märkten Kostüme tragen.
4. Clemens arbeitet seit drei Jahren als Feuerspucker auf Veranstaltungen.
5. Clemens ist vor Auftritten immer ganz cool, weil er sehr mutig ist.
6. Ina beschäftigt sich in ihrer Freizeit nur mit dem Mittelalter.

> *1. falsch: ..., weil sie Sehnsucht nach einem einfacheren Leben haben.*

Entschuldigen Sie, darf ich Ihnen eine Frage stellen?

c How can you rephrase this? Look for the sentences in the interview.

1. Wir haben Ina und Clemens viel gefragt.
2. Meine Eltern haben mir erlaubt, auf Märkten aufzutreten.
3. Mein Wunsch hat sich erfüllt.
4. Ich denke vor dem Auftritt viel nach.
5. Ich bemühe mich sehr, dann klappt alles.

> *1. Wir haben Ina und Clemens viele Fragen gestellt.*

noun-verb construction
eine Frage stellen – fragen
sich Mühe geben – sich bemühen

7 | Historische Festivals
▶TM **Research in the internet. Are there historical festivals near you as well? Make a poster and look for information on the questions.**

Wie heißt das Festival?
Was gibt es da?
Was kann man dort machen und sehen?
Wann und wo ist das Festival?
Gibt es Kostüme, Spiele, einen Markt?

RITTER-FEST
Kufstein
www.ritter-fest.at

ääächt schräg

8 | *st* und *sp*
1.47 **a Which sound do you hear? Write the words in a table in your notebook.**

Ritterspiele • ständig • Wespe • Feuerspucker • Spaß • Angst • Veranstaltung • verstehen • Festival • Kostüm • Schauspieler • Instrument • Inspiration • Spinner • anstrengend

„st"	„scht"	„sp"	„schp"
			Ritterspiele,

b Read the words aloud.

9 Meine Szene

a Listen to the survey and match the people with the photos.

1.48–51

Skater

Veganer

Cosplayer

LAN-Spieler

Sandra ist eine …

b Listen again. What do the students say about the following topics? Not all of them say something about each topic.

	Kleidung	Aktivitäten	Treffpunkte	Spezielles
Cosplayer		schauen Animes	Conventions	

c What do you think of the scenes? Which additional scenes are you familiar with? What is typical? Discuss in class.

Ich finde, Veganer ernähren sich sehr extrem. Ich lebe auch vegetarisch, aber …

Es gibt noch die Graffitiszene. Mit Spraydosen bemalen sie Hauswände, Bahnsteige …

10 Deine Szene

a Choose a person from 9a or think of a person from another scene. Read the interview questions and write answers for these people.

1. Was fasziniert dich an deiner Szene?
2. Seit wann interessierst du dich für diese Szene?
3. Was genau machst du? Gibt es spezielle Aktivitäten?
4. Was ist typisch für deine Szene? Was ziehst du am liebsten an?
5. Wo triffst du dich mit anderen Leuten aus deiner Szene?

b Practice your interviews with a partner. Then perform them for the class. You could also record your interviews.

Kannst du das schon?

Once again, please

Tipps zu Einladungen geben

- Komm pünktlich zur Party. Aber es ist okay, 15 Minuten später zu kommen.
- In Deutschland muss man zu einer Einladung kein Geschenk mitbringen.
- Man sollte an der Tür fragen: „Soll ich die Schuhe ausziehen?"
- Es ist normal, sich Getränke selbst einzuschenken, aber man kann auch den anderen etwas anbieten.

Advice for receiving invitations

Keiko has been invited to Pia's house. Give her advice.

über Sprachen sprechen

- Meine Muttersprache ist …
- Ich spreche auch sehr gut …, weil mein Vater aus … kommt.
- Ich spreche nur meine Muttersprache und ich lerne Deutsch.
- Wenn ich mit meiner Freundin aus … skype, spreche ich …

Talking about languages

Conduct an interview with a partner:
Was ist deine Muttersprache?
Welche Sprachen sprichst/lernst du?
Wann verwendest du welche Sprache?

Sätze mit obwohl und weil

- Jonas spricht gern Deutsch, obwohl er noch nicht viele Wörter kennt.
- Mariam lernt viele Sprachen, weil sie gerne fremde Sprachen spricht.
- Dan spricht perfekt Russisch, obwohl er noch nie in Russland war.
- Dan spricht perfekt Russisch, weil er schon oft in Russland war.

Sentences with *obwohl* and *weil*

Write sentences with *obwohl* and *weil*.
Jonas: gern Deutsch sprechen, nicht viele Wörter kennen
Mariam: viele Sprachen lernen, gern fremde Sprachen sprechen

Nomen-Verb-Verbindungen

- Dieses Jahr ist mein größter Wunsch in Erfüllung gegangen.
- Mach dir nicht so viele Gedanken!
- Darf ich Ihnen eine Frage stellen?
- Ich gebe mir bei jeder Prüfung viel Mühe.
- Die Lehrer haben uns die Erlaubnis gegeben.

Noun-verb construction
Supply the noun:
Erlaubnis, Erfüllung, Frage.
Mein größter Wunsch ist in ___ gegangen.
Darf ich Ihnen eine ___ stellen?
Die Lehrer haben uns die ___ gegeben.

über Szenen sprechen

- Veganer essen kein Fleisch und …
- Skater sind sportlich und sie tragen oft weite Hosen.
- Auf Mittelalterfestivals trifft man viele verkleidete Leute.
- Cosplayer tragen verrückte Kostüme und …
- LAN-Spieler gehen oft zu …

Talking about scenes
Which scenes do you think are interesting? Describe the scenes in three sentences.

- Komisch, oder?
- Pizza mit Chili? Eklig!
- Spinner!

Komisch, oder?

Grammar summary

Modal words: assumptions

bestimmt/sicher	Paul kommt ganz **bestimmt** am Montag. Ich bin mir **sicher**.
wahrscheinlich	Gestern hat er gesagt, dass er **wahrscheinlich** am Dienstag kommt.
vielleicht/eventuell	Aber ich glaube, dass er **vielleicht** erst am Mittwoch hier ist. Oder **eventuell** sogar erst am Donnerstag.

Verbs in simple past

	sagen	arbeiten	werden	gehen	kommen
ich	sag**te**	arbeit**ete**	wurde	ging	kam
du	sag**test**	arbeit**etest**	wurdest	gingst	kamst
er/es/sie	sag**te**	arbeit**ete**	wurde	ging	kam
wir	sag**ten**	arbeit**eten**	wurden	gingen	kamen
ihr	sag**tet**	arbeit**etet**	wurdet	gingt	kamt
sie/Sie	sag**ten**	arbeit**eten**	wurden	gingen	kamen

Additional verbs: *geben – gab, heißen – hieß, bringen – brachte, sprechen – sprach, stehen – stand*

Relative clauses with prepositions

	with accusative	with dative
Hast du einen Stift,	Für den Stift braucht man Tinte. für **den** man Tinte (braucht)?	Mit dem Stift kann ich schreiben. mit **dem** ich (schreiben)(kann)?
Hier ist das Heft,	Für das Heft habe ich zwei Euro bezahlt. für **das** ich zwei Euro bezahlt (habe).	Mit dem Heft kannst du lernen. mit **dem** du (lernen)(kannst).
Ist das die Frau,	Für die Frau hast du eine CD gekauft. für **die** du eine CD gekauft (hast)?	Mit der Frau verstehst du dich gut. mit **der** du dich gut (verstehst)?
Ich zeige Fotos,	Für die Fotos habe ich Preise gewonnen. für **die** ich Preise gewonnen (habe).	Auf den Fotos sieht man die Stadt. auf **denen** man die Stadt (sieht).

Dependent clauses with *als, bis, obwohl*

als	Wilson (spielte) in „Die wilden Kerle" (mit),	**als** er 13 (war).
	Als Wilson 13 (war),	(spielte) er in „Die wilden Kerle" (mit).
bis	Er (war) nur Schauspieler,	**bis** er Musiker (wurde).
	Bis er Musiker (wurde),	(war) er nur Schauspieler.
obwohl	Er (steht) auch hinter der Kamera,	**obwohl** er Schauspieler (ist).
	Obwohl er Schauspieler (ist),	(steht) er auch hinter der Kamera.

Comparative and superlative as adjectives

	der, das, die	*ein, eine*
	nominative	
der	Das ist der coolst**e** Fun-Park.	Das ist ein größer**er** Wettbewerb.
das	Das ist das coolst**e** Gefühl.	Das ist ein härter**es** Training.
die	Das ist die coolst**e** Musik.	Das ist eine kleiner**e** Stadt.
die	Das sind die coolst**en** Tage.	Das sind (–) schöner**e** Tage.
	accusative	
der	Sebastian übt den neust**en** Trick.	Er hat einen größer**en** Fun-Park gefunden.
das	Er will das teuerst**e** Skateboard haben.	Er hat sich ein teurer**es** Skateboard gekauft.
die	Er will die coolst**e** Show machen.	Er möchte eine besser**e** Leistung zeigen.
die	Er hat die best**en** Freunde im Fun-Park.	Er braucht noch (–) besser**e** Schuhe.
	dative	
der	Sebastian übt gemeinsam mit dem best**en** Freund.	Er träumt von einem besser**en** Trainer.
das	Mit dem neust**en** Skateboard fährt er am besten.	Er fährt zu einem bekannter**en** Turnier.
die	Mit der heißest**en** Musik im Ohr macht das Skaten Spaß.	Er wohnt in einer größer**en** Stadt.
die	Auch an den kältest**en** Tagen fährt er Skateboard.	Er träumt von (–) besser**en** Tagen.

Irregular adjectives:

teuer – teurer – am teuersten
groß – größer – am größten
hoch – höher – am höchsten
gern – lieber – am liebsten

kurz – kürzer – am kürzesten
nah – näher – am nächsten
gut – besser – am besten
viel – mehr – am meisten

Noun-verb constructions

verb	noun + verb	
fragen	eine Frage stellen	Darf ich dir noch ein paar Fragen stellen?
nachdenken	sich Gedanken machen	Hast du dir Gedanken gemacht, als du mit deinem Hobby angefangen hast?
erlauben	die Erlaubnis geben	Und deine Eltern haben dir die Erlaubnis gegeben?
sich bemühen	sich Mühe geben	Ich habe ihnen gesagt, dass ich mir immer Mühe gebe.
sich erfüllen	in Erfüllung gehen	Ich wünsche dir, dass dein Traum in Erfüllung geht.

Further noun-verb constructions:

beenden – zu Ende bringen
hoffen – Hoffnung haben

sich interessieren – Interesse haben
helfen – zu Hilfe kommen

Schlösser und Burgen

1 Famous castles

a Read the texts and match the castles with their owners.

1 Schloss Neuschwanstein

Dieses Schloss ist eine der bekanntesten Sehenswürdigkeiten Deutschlands. Es wurde erst 1869 im Süden von Bayern gebaut, aber es sollte an alte Zeiten erinnern. Der König baute es wie ein Schloss in einem Märchen und wollte wie in einem Theater wohnen. Kein Luxus sollte dem König fehlen: Es hatte eines der ersten Telefone Deutschlands, fließendes heißes und kaltes Wasser und eine Heizung. Leider war der Bau des Schlosses teuer und der König hatte ab 1883 viele Schulden. In der Nacht vom 11. auf den 12. Juni 1886 musste der König das Schloss verlassen. Nur einen Tag später fand man ihn tot im Starnberger See.

2 Schloss Schönbrunn

Jedes Jahr besuchen circa 6,7 Millionen Besucher dieses Schloss und seinen Park in Wien. Kaiser Karl VI. war, als er noch lebte, allerdings wenig an dem Schloss interessiert, deshalb schenkte er es seiner Tochter. Für ihre große Familie baute sie das alte Schloss ab 1743 in ein Wohnschloss mit 1441 Zimmern um. So hatten ihre 16 Kinder viel Platz! Ihre Kinder hatten es aber nicht immer leicht. Sie mussten Leute heiraten, die ihre Mutter für sie ausgesucht hatte. So hatte die Mutter gute Kontakte in Länder wie Frankreich und Spanien.

3 Schloss Sanssouci

Diesem König waren die Schlösser in Berlin zu groß und er hasste das Leben als König. Daher baute er 1745 bis 1747 ein kleines, privates Schloss in der Nähe von Potsdam – mitten auf dem Land. Mit einem traumhaften Blick in die Landschaft hat der König „sans souci" (französisch: ohne Sorgen) jeden Sommer in seinem Schloss verbracht. Damit er wirklich keine Sorgen hatte, durfte seine Frau nicht mit nach Sanssouci. Dort hatte er lieber andere Gäste zu Besuch, mit denen er lange redete und denen er Musik vorspielte.

A
Friedrich II. war mit wenig Luxus zufrieden und spielte Flöte.

B
Ludwig II. liebte das Theater und die Musik und gab viel Geld für moderne Erfindungen aus.

C
Kaiserin Maria Theresia im Kreis ihrer großen Familie.

▸TM **b** With a partner, choose a castle and answer the questions. Go around with your partner to the other groups and ask the questions to groups with different castles.

> Wie alt ist das Schloss? • Wo steht es? •
> Was ist besonders an dem Schloss? • Wer wohnte in ihm? •
> Was ist das Besondere an den Bewohnern?

> Das Schloss ist über 140 Jahre alt.

c Think up more questions about the castles. Research on the internet and try to answer them.

2 Life in a castle today

a Read the text and find advantages and disadvantages of living in a castle.

Keine Könige – trotzdem leben sie auf einer Burg

Burg Rheinstein im oberen Mittelrheintal zwischen Rüdesheim und Koblenz. Im Mittelalter wohnten hier Könige und Fürsten. Seit 1975 wohnt Familie Hecher auf der Burg. Markus Hecher war damals 16 Jahre alt und war überhaupt nicht begeistert, als sein Vater die Burg kaufte: „Für mich war hier alles trist und grau." Inzwischen hat sich aber einiges getan und die Burg strahlt wie neu.
Katharina Hecher, 14, Tochter von Markus, ist dort oben auf der Burg aufgewachsen und sagt: „Es war für mich ganz anders als für die anderen Kinder in der Schule. Sie konnten schnell mal zu ihren Freunden gehen. Das war bei mir schwieriger. Aber dafür habe ich das Erlebnis, auf einer Burg zu wohnen. Also, das ist schon etwas Besonderes. Und meine Freunde besuchen mich hier gern."

Vorteile	Nachteile
	– trist und grau

b How do you imagine life in a castle would be? Find other advantages and disadvantages and write them down in the table from 2a.

> Viele Touristen laufen durch mein Zimmer.

> Wir feiern tolle Partys im großen Saal.

c Write a text about the topic "Life in a castle".

> Ich würde gern auf einer Burg leben. Dann hätte ich nicht nur ein kleines Zimmer. Ich hätte fünf große Zimmer für mich allein. Ich hätte außerdem ... und viele ... Aber doof wäre ...

> Das Leben auf einer Burg wäre nichts für mich. Die ganze Zeit würden Touristen durch mein Zimmer laufen. Es würde mich stören ... Ein Vorteil wäre aber ...

Was ist los?

1 **Das mache ich gern.**

a **Which free time activities do you see in the pictures? Write them.**

1. *abhängen*

2. _____

3. _____

4. _____

5. _____

b **Listen to the interview from the "Classwork" section again. True or false?**

2.2

	richtig	falsch
1. David ist immer lang in der Schule und muss viel lernen.	X	☐
2. David kann nicht ausgehen, weil er keine Zeit hat.	☐	☐
3. Katrin mag Filme im Kino nicht.	☐	☐
4. Katrin macht selbst Musik, aber sie geht nicht gern in Konzerte.	☐	☐
5. Nina ist Sportlerin. Sie trainiert lieber Volleyball als Schwimmen.	☐	☐
6. Nina ist sehr aktiv. Sie geht gern in Konzerte oder ins Kino.	☐	☐
7. Dirk hat nach der Schule Spaß mit seinen Skaterfreunden.	☐	☐
8. Dirk liebt Filme im Kino, darum macht er auch selbst Filme.	☐	☐

c **What do the students like to do? Fill in the verbs. Write the solution.**

1. Katrin will mit ihren Freundinnen eine DVD ...   A N S E H E N

2. Beim Filmabend können sie sich über alles ...   _____

3. Nina kann gut ..., denn sie trainiert oft im Schwimmclub.   _____

4. Dirk will mit seinen Kumpels am Marktplatz ...   _____

5. Er möchte neue Tricks mit dem Skateboard ...   _____

6. Nina liebt Kleidergeschäfte. Sie geht gern ...   _____

7. David muss jeden Tag viele Stunden Geige ...   _____

8. Aber er kann seine Freunde im Internet ...   _____

Das machen viele Leute gern, wenn sie Zeit haben: _____

2 Wenn ich Zeit habe, …

a What are the students doing? Listen to the statements. Mark them.

1. Lisa hat keine Schule und ☐ schläft lang. ☐ faulenzt. ☒ geht shoppen.
2. Pedro besucht Sam und sie ☐ fahren Ski. ☐ gehen klettern. ☐ sehen Filme an.
3. Sibil geht mit Freundinnen aus. Sie ☐ haben Spaß. ☐ tanzen. ☐ gehen ins Kino.
4. David fährt nach Berlin. Er ☐ übt nicht Geige. ☐ geht ins Konzert. ☐ spielt Karten.
5. Anna hat drei Tage frei. Sie ☐ will abhängen. ☐ macht Stress. ☐ macht Sport.

b Complete the sentences with *wenn* with the information from 2a.

1. Wenn Lisa _keine Schule hat, dann geht sie shoppen._
2. Wenn Pedro _Sam besucht,_
3. Wenn Sibil ____
4. Wenn David ____
5. Wenn Anna ____

c How is it for you? Complete the sentences.

1. Ich freue mich, wenn _ich ein Geschenk von meinen Freunden bekomme._
2. Ich ärgere mich, wenn ____
3. Ich werde müde, wenn ____
4. Ich bin glücklich, wenn ____
5. Ich werde sauer, wenn ____
6. Ich muss lachen, wenn ____
7. Ich langweile mich, wenn ____

3 Wenn …, dann …
What do you do when …? Choose a completion. Write sentences with and without *dann*.

1. Du hast viel Zeit.   ein paar DVDs leihen / am Computer spielen
   Wenn ich viel Zeit habe, leihe ich mir ein paar DVDs.
2. Du hast riesigen Hunger.   eine Pizza holen / Spaghetti kochen
   Wenn ich riesigen Hunger habe, dann
3. Du bekommst das Zeugnis.   sich freuen / sich ärgern
4. Du hast kein Taschengeld mehr.   kleine Jobs machen / alte Comics verkaufen
5. Du willst deine Ruhe haben.   nicht rausgehen / das Handy ausschalten
6. Du bist schon vormittags müde.   Kaffee trinken / wieder ins Bett gehen

1

4 Welcher Freizeittyp bist du?

a **This describes a catlike person. Fill in the missing words in the text.**

allein sein

gefällt

hast

vergessen

fragen

geht

magst

Du hast (1) zwischen 30 und 50 Punkte? Du bist der Typ Katze und _____ (2) es

bequem. Bei dir ist es wichtig, dass alles nach Plan _____ (3). Du bist gern zu Hause,

du kannst auch sehr gut _____ (4). Du brauchst nicht viele Freunde um dich oder

eine Clique in deiner Freizeit. Pass auf, dass deine Freunde dich nicht _____ (5). Mach

doch mal mit, wenn dich deine Freunde _____ (6). Vielleicht _____ (7) es

dir ja!

b **Doglike leisure person, but everything is mixed up. Put the text in order.**

___ Vielleicht interessiert deine Freunde auch, was du vorhast.

___ Du bist immer dabei, wenn in deiner Freizeit etwas los ist.
   Deine Freunde mögen, dass du meistens mitkommst.

_1_ Hast du 55 bis 70 Punkte? Der junge Hund passt zu dir.

___ Sag ihnen, was du mit ihnen machen willst. Bestimmt gefällt es ihnen!

___ Und wenn du einmal Ja gesagt hast, dann meinst du das auch so.

___ Aber vielleicht kannst du auch selbst Vorschläge machen?

c **What kind of type is Toni? Write sentences.**

1. Toni / immer und überall / sein / dabei / .   _Toni ist immer und überall dabei._

2. auch immer / er / aktiv / sein / .   _____

3. neue Ideen / Toni / immer / haben / .   _____

4. er / der Chef / sein / wollen / .   _____

5. nie / sich / er / ausruhen / .   _____

6. wie ein Hamster / Toni / immer / laufen /   _____
   und / nie / schlafen / .

d **Cat, dog or hamster: Which type are you? Why? Write in your notebook.**

Ich bin wie eine Katze. Katzen mögen es bequem. Das trifft auf mich zu. ...

5 Was machen wir?

a What is going on at the festival? Match the words using lines.

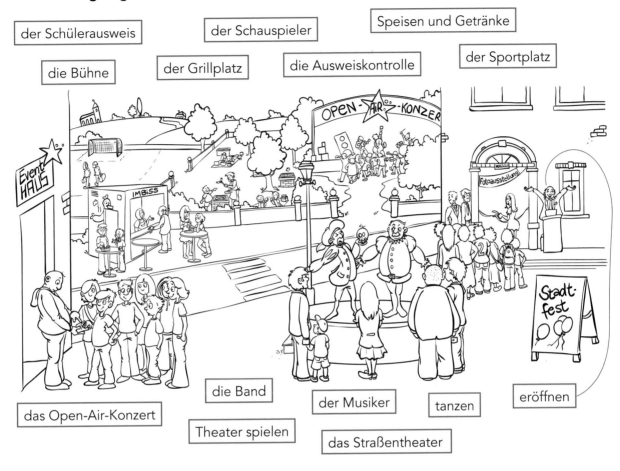

der Schülerausweis

der Schauspieler

Speisen und Getränke

die Bühne

der Grillplatz

die Ausweiskontrolle

der Sportplatz

die Band

der Musiker

tanzen

eröffnen

das Open-Air-Konzert

Theater spielen

das Straßentheater

b Listen to both announcements. What do they have at the festival? Four answers are correct. Mark them.

2.4

☐ Kletterparkour in der Sporthalle

☐ ein Konzert von drei Bands

☐ Volleyball auf dem Beachplatz

☐ Grillfest beim Sportplatz

☐ Disco im Stadtgarten

☐ Clubbing in der alten Fabrik

☐ Fotoausstellung im Rathaus

☐ Flohmarkt

☐ Theater auf dem Hauptplatz

☐ internationale Spezialitäten

c Suggestions and answers: What matches up? Write down the correct letter.

1. Ich hätte Lust auf Kino. _D_

2. Hättest du auch Lust auf Pizza? ___

3. Ich hätte am Montag Zeit. Du auch? ___

4. Ich würde gern schwimmen gehen. ___

5. Würdest du gern zum Konzert von Tokio Hotel mitkommen? ___

6. Würde dir Klettern Spaß machen? ___

A Nein, leider nicht, aber am Dienstag.

B Oh ja, gute Idee! Wie lange ist das Schwimmbad offen?

C Ja, sehr. Das möchte ich unbedingt probieren.

D Welchen Film möchtest du sehen?

E Ich weiß nicht. Eher nicht, das ist mir zu teuer. Und so gut finde ich die Band nicht.

F Nein, keine Pizza. Ich möchte Pommes.

6 Ich weiß nicht …

a Make a suggestion for each topic. Complete the sentences.

Stadtfest
~~Essen~~ Kino
Theater
Picknick Konzert
Jugendzentrum
Sportplatz

1. Ich würde gern *Spaghetti essen.* _____
2. Ich hätte am Freitag Zeit für _____
3. Hättet ihr Lust auf _____?
4. Wir könnten _____
5. Möchtet ihr _____?
6. Ich schlage vor, dass _____
7. Würdest du gern _____?
8. Ich möchte _____

b Agreeing, rejecting and considering further: Sort the expressions.

~~Einverstanden!~~ • ~~Mal sehen, vielleicht.~~ • Meinst du wirklich? • Das finde ich nicht gut. • Das ist eine gute Idee. • Das ist nichts für mich. • Das ist zu teuer! • Ich bin dabei. • Ich bin dagegen. • Ich weiß nicht … • Ja, ich mache mit. • Ich muss noch überlegen.

zustimmen

Einverstanden! _____

_____

_____

ablehnen

_____

_____

_____

noch nachdenken

Mal sehen, vielleicht. _____

_____

_____

7 Nachricht aus Japan

a Complete the text. Check your answers in the "Classwork" section on page 11.

Hallo! Ich hei*ße* (1) Keiko und wohne i____ (2) Osaka in Japan. I____ (3) bin 14 Jah____ (4) alt. Weil mein Va____ (5) für ein Jahr in Deuts_____ (6) arbeitet, komme ich i____ (7) vier Wochen in eu____ (8) Klasse. Ich bin neug_____ (9), wie die Schule b____ (10) euch ist. Ich möc_____ (11) viel sehen, we____ (12) ich in Deutschland b____ (13). Ich hoffe, dass ich ne____ (14) Freunde kenne_____ (15). Und ich bri_____ (16) ein paar kleine Sac_____ (17) aus Japan mit. Überra_____ (18) ;-)

Bis bald, Keiko

b Read the posts from the forum. What is correct? Mark them.

sakurafan11

Hi Keiko, wir haben ganz lange diskutiert: Warum kannst du so gut Deutsch? Das ist ja super! Wann und wo hast du Deutsch gelernt? Ich glaube, du warst schon einmal in Deutschland, stimmt's?
Bis bald bei uns in der Klasse. Wir freuen uns schon sehr!

Tashigi x Tsuno

Danke, Sakurafan. Toller Nick ;-)) Mein Deutsch ... Ich war drei Jahre alt, da hat mein Vater schon einmal in Deutschland gearbeitet. Wir sind damals für drei Jahre nach Hamburg gezogen. Ich bin dort in den Kindergarten gegangen und hatte auch ein paar gute Freundinnen. Dann sind wir wieder zurück nach Osaka gegangen, aber wir hatten zwei Jahre lang ein Kindermädchen aus München. Mit ihr habe ich nur Deutsch gesprochen. In der Grundschule hatte ich kein Deutsch, aber seit zwei Jahren besuche ich die Mittelschule. Und in meiner Schule sind Sprachen sehr wichtig! Ich habe Englisch und Deutsch, 4 Stunden pro Woche. Bald geht's los. Ich freue mich schon! :-) Keiko

1. Sakurafan
   - A ist nicht begeistert, dass Keiko so gut Deutsch spricht.
   - ☒ ist neugierig, warum Keiko so gut Deutsch spricht.
   - C weiß, dass Keiko schon einmal in Deutschland war.

2. Keiko schreibt,
   - A dass ihre Eltern ein Jahr lang in Hamburg gearbeitet haben.
   - B dass sie im Kindergarten keine Freundinnen hatte.
   - C dass sie mit drei Jahren nach Deutschland gekommen ist.

3. Zurück in Japan
   - A hat Keiko nur in der Schule Deutsch gelernt.
   - B hatte Keiko zwei Jahre lang einen Lehrer aus München.
   - C hatte Keiko ein deutsches Kindermädchen.

4. In der Grundschule
   - A hat Keiko nur Englisch gelernt.
   - B hatte Keiko noch keinen Deutschunterricht.
   - C hatte Keiko Englisch und vier Stunden Deutsch.

c How are the schools in Japan? Complete the sentences with the questions.

• ~~Wann stehen die Schüler auf?~~ • Wann fängt die Schule an? • Was zieht man für die Schule an? •
Wie viele Schüler machen beim Deutschunterricht mit?

1. Ich möchte wissen, *wann die Schüler aufstehen.* _____

2. Mich interessiert, _____

3. Ich weiß nicht, _____

4. Kannst du mir sagen, _____

  d What might be the answers to the questions in 7c? Write them down.

Ich vermute, dass die Schüler sehr früh aufstehen. Ich denke, dass ... Vielleicht ...

8 Satzmelodie

a Listen to the words and sentences. Then listen again and speak along.

2.5

1. Mitschülerin?	Die neue Mitschülerin?	Wie heißt die neue Mitschülerin?
2. In Japan.	In Osaka in Japan.	Keiko wohnt in Osaka in Japan.
3. Nachmittag?	Heute Nachmittag?	Kommst du heute Nachmittag?
4. Am Abend.	Am Samstagabend.	Wir sehen uns am Samstagabend.

b What is the intonation? Listen and write punctuation symbols in the dialog: Rising 👍 = "?", falling 👎 = "."/"," or stays the same 🤚 = "…".

2.6

● Wann kommst du zu mir _?_

○ Heute Nachmittag___ Ich weiß nicht___ Wann soll ich denn bei dir sein___

● Wann du willst___ Ich bin ab drei Uhr daheim___

○ Gut___ Dann sehen wir uns so gegen halb vier___

● Ist gut___ Bis halb vier dann___

c Listen again. Then read the sentences out loud.

9 Post für Keiko

auf, *für*, *über* or *von*: Fill in the prepositions and articles in the correct form.

Keiko interessiert sich _für die_ (1) Schule in Deutschland. Deshalb wartet sie

gespannt _____ (2) Informationen über ihre neue Klasse. Sie erzählt

ihren japanischen Freundinnen _____ (3) neuen Schule. Sie reden

auch _____ (4) Pläne von Keiko. Keiko freut sich _____ (5)

Reise nach Deutschland. _____ (6) Reise träumt sie schon ganz lange.

10 Eine Gruppengeschichte

Philipp is dreaming about vacation. Write sentences.

Meine Ferien fangen an.

1. Philipp träumt, dass _seine Ferien anfangen._ _____

Ich habe frei.

2. Er ist glücklich, weil _____

Okay, fahr allein weg!

3. Seine Mutter erlaubt, dass _____

Wann kommst du zurück?

4. Der Vater fragt, _____

Alles war nur ein Traum!

5. Philipp weiß, _____

Wörter – Wörter – Wörter

11 In meiner Freizeit

a Which free time activities can you find? Write down the 11 verbs.

AGU **FAULENZEN** VBKOLÜBENDULSOPPSHOPPENIPOLSENTRAINIERENHIS
AMQUATSCHENQUITORLGRILLENVGLKOPABHÄNGENPLUTZOSCHWIMMEN
MOLSKARUMSITZENÜNOTCPAUSGEHENBGLPISKLETTERNAPELN

faulenzen, _____

_____

b What are the words? Write them with articles.

die Clique, _____

_____

c What can be done during free time? Write down expressions.

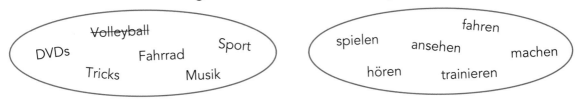

Volleyball spielen, Volleyball trainieren; _____

_____

_____

12 Wortfamilien
Which words and expressions belong together? Write down pairs.

> ~~das Glück~~ • sich unterhalten • das Interesse • das Spiel • der Traum •
> die Diskussion • träumen • die Unterhaltung • diskutieren • die Freude • ~~glücklich sein~~ •
> sich freuen • sich interessieren für • spielen

das Glück – glücklich sein, _____

_____

_____

13 Meine Wörter
Which words, expressions or sentences are important to you? Write them down.

_____

2

Ich bin neu hier.

1 **Pausengespräche**
Complete the dialog with the words in the box.

Fan • Schuluniformen • J-Pop • Ahnung • Karaoke • Gastschülerin • geschmacklos

● Du bist doch ein großer Japan-_Fan_ (1), oder? Dann singst du sicher gern _____ (2).

○ Was? Nein. Aber ich höre oft _____ (3). Das ist total coole Musik!

● Ach ja? Und sind die Japanerinnen wirklich solche Mode-Tussis?

  Ich habe gehört, dass sie _____ (4) tragen.

○ Ja, aber nicht zu Hause und in der Freizeit.

● Die anderen Jungs sagen, japanische Kleidung ist

  _____ (5).

○ Quatsch! Die haben ja keine _____ (6)!

● Ich finde es ja auch nicht gut, dass die anderen so schlecht

  über die neue _____ (7) reden. Also, ich freue

  mich auf Keiko.

2 **Austauschschüler**

a **What belongs together? Connect.**

1. Das ist die Gastschülerin,   A das mir besonders gut gefällt.
2. Das ist der Austauschschüler,   B die aus Japan kommt.
3. Das sind die Lehrer,   C die schon sehr gut Deutsch sprechen.
4. Das ist das Austauschland,   D der schon 9 Monate hier ist.
5. Das sind die Austauschschüler   E die unseren Austausch organisieren.
   aus Frankreich,

b **Write the questions with a relative clause.**

1. Wer ist der Junge? Er trägt so coole Kleidung.

   Wer ist der Junge, der so coole Kleidung trägt? _____

2. Wie heißt denn das Mädchen? Es ist neu in der Klasse.

   _____

3. Ist das die Sportlehrerin? Sie war mal bei Olympia.

   _____

4. Sind das die Gastschüler? Sie wohnen bei Linus und Moritz.

   _____

5. Woher kommt die neue Schülerin? Sie geht jetzt in die Klasse 9b.

   _____

3 Unsere Klasse, unsere Lehrer, unsere Fächer

a Connect the sentences. What fits?

1. Herr Wink ist unser Hausmeister,		A die meisten Hausaufgaben gibt.
2. Frau Sohl ist die Lehrerin,	der	B alles reparieren kann.
3. Sport ist das Fach,	das	C am anstrengendsten sind.
4. Wir haben einen Mitschüler,	die	D am meisten Spaß macht.
5. Mathe und Bio sind Fächer,		E besser als die Kunstlehrerin malt.

b Complete the sentences.

1. Wie heißt dieser Typ aus der 9a, _der in Katharina verliebt ist?_ (Er ist in Katharina verliebt.)

2. Wir haben eine Lehrerin, _____ (Sie ist nur 1,50 Meter groß.)

3. In unserer Schule gibt es ein Klassenzimmer, _____ (Es hat keine Fenster.)

4. In unserer Stadt gibt es zwei Schulen, _____

   (Sie haben keinen eigenen Sportplatz.)

5. Wir haben einen Austauschschüler, _____

   (Er kommt aus Australien.)

4 Manuel ist in Spanien.

a What do you learn from the blog p. 16 about Manuel's family and about his Spanish host family? Put the correct words together. Not all word segments will fit.

1. Alejandro ist Manuels _Gastbruder_ .

2. Manuels _____ heißt Elsa.

3. Hannah ist die _____ von Manuel.

4. Alejandro hat keine Geschwister. Er ist ein _____.

5. Die Mutter von Manuels Gastvater ist Alejandros

   _____.

6. Manchmal ist Alejandro ein _____.

> ~~-bruder~~ • Einzel- •
> Spanisch- • -mutter •
> -schwester • Austausch- •
> Gast- • Blöd- • Halb- •
> ~~Gast-~~ • -kind • -mutter •
> -mann • -eltern • -lehrer •
> Gast- • -schüler • Groß-

b Read the blog in the "Classwork" section again. True or false? Mark.

	richtig	falsch
1. Manuel ist nicht sofort zu seiner Gastfamilie nach Cádiz gereist.	X	☐
2. Manuel versteht nichts, weil er kein Spanisch in der Schule hatte.	☐	☐
3. Manuel war in den Ferien am Strand surfen.	☐	☐
4. Die Mädchen finden Manuel exotisch, weil er nicht so braun ist.	☐	☐
5. Manuel gefällt es nach einem Monat richtig gut in Cádiz.	☐	☐
6. Manuel verspricht, dass er nie mehr mit seiner Halbschwester streitet.	☐	☐
7. Ramón redet manchmal nicht mit Manuel.	☐	☐
8. Manuel findet es blöd, dass Alejandro eifersüchtig ist.	☐	☐

5 Einen Blog, den ich gern lese

a Who is that? Write sentences like the example in your notebook.

A

B

C

D

Das ist meine Mutter. Sie arbeitet den ganzen Tag. Ich rufe sie oft im Büro an.

Hier siehst du meinen Vater. Er hat eine neue Frau geheiratet. Ich sehe ihn nur am Wochenende.

Das sind meine Geschwister. Sie sind jünger als ich. Ich nehme sie oft mit ins Kino.

Hier siehst du unseren Großvater. Er baut super Flugzeuge. Wir mögen ihn sehr.

A Das ist meine Mutter, die den ganzen Tag arbeitet. Das ist meine Mutter, die ich ...

b Read Petra's e-mail. Fill in the relative pronouns in nominative or accusative.

≡▼ **Betreff:** Ich will weg!

Hallo Dana,

ich muss dir etwas erzählen: Du kennst doch Manuel, _der_ (1) gerade ein Austauschjahr in Spanien macht. Ich habe die Berichte gelesen, _____ (2) er in seinem Blog geschrieben hat. Jetzt will ich auch weg! Nach Siena! Das ist eine Stadt in Italien, _____ (3) ich total romantisch finde. Wie findest du das? Ich glaube, das ist der beste Plan, _____ (4) ich je hatte. Es wird bestimmt ein Schuljahr, _____ (5) ich nie vergesse. Jetzt muss ich eine gute Organisation finden, _____ (6) so einen Schüleraustausch organisiert. Ich fange gleich an.

Tschüs! Petra

6 Manuel braucht Rat.

a Where does which advice fit? Match.

1. Wir sollten lieber für den Biotest lernen. _C_
2. Ihr solltet euch beeilen! Der Bus fährt gleich! ____

3. Sie sollte wirklich mehr lernen. ____
4. Du solltest wirklich früher aufstehen! ____

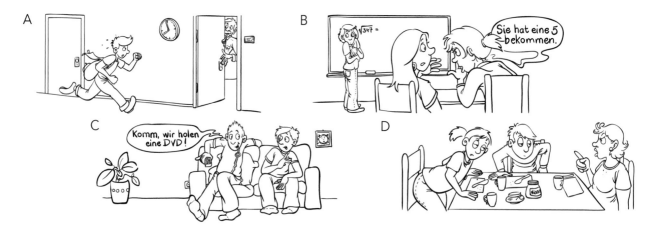

b Fill in the forms in the sentences and in the table. Exercise 6a will help.

1. Er _sollte_ Sonnencreme benutzen.

2. Du _____ nicht so viel mit deinem Bruder streiten.

3. Die Lehrer _____ uns nicht so viele Hausaufgaben aufgeben.

4. Ihr _____ unbedingt ein Austauschjahr machen.

5. Meine Freundin sagt, ich _____ mich bei Tim entschuldigen.

6. Unser Lehrer sagt, wir _____ deutsche Filme ansehen.

	sollte
ich	_sollte_
du	
er/es/sie	
wir	
ihr	
sie/Sie	

c A friend wants to go to Japan for a year, but he cannot speak the language very well. Write six suggestions. There are various possibilities.

> jeden Tag 15 Wörter lernen • Mangas auf Japanisch lesen • japanische Musik hören • einen Japanischkurs machen • einen E-Mail-Partner aus Japan suchen • Filme auf Japanisch ansehen

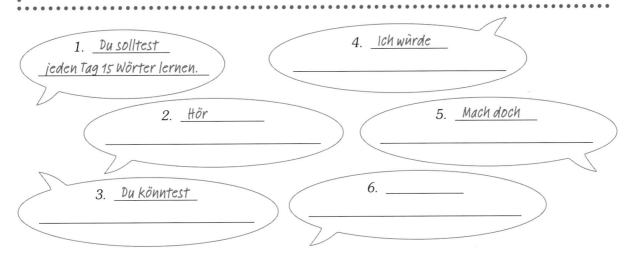

1. Du solltest jeden Tag 15 Wörter lernen.

2. Hör _____

3. Du könntest _____

4. Ich würde _____

5. Mach doch _____

6. _____

---

7 Das ist Keiko.

2.7

Listen to the conversation from Kolja and Robbie. What is true? Mark.

1. Robbie versteht nicht, …
   - [X] warum die Mädchen heute anders sind.
   - [B] warum die Mädchen so gute Laune haben.

2. Die Mädchen wollten, …
   - [A] dass Keiko in eine andere Klasse kommt.
   - [B] dass Keiko in ihre Klasse kommt.

3. Kolja hat Glück, …
   - [A] weil Keiko neben ihm sitzt.
   - [B] weil Keiko nicht in seiner Klasse ist.

4. Robbie findet Keikos Namen …
   - [A] nicht so gut.
   - [B] toll.

5. Robbie und Kolja finden, …
   - [A] dass Keiko viele Fehler auf Deutsch macht.
   - [B] dass Keikos Fehler auf Deutsch süß sind.

6. Robbie und Nadja …
   - [A] sind wieder sehr glücklich zusammen.
   - [B] sind nicht mehr so gute Freunde.

2

8 **Wenn ich Keiko heißen würde, ...**

a **Fill in the correct form of *wäre*.**

1. Wollen wir heute zusammen einkaufen gehen? Das _wäre_ echt super!
2. Was würdest du machen, wenn du Austauschschüler _____?
3. Wir _____ jetzt gern in Spanien. Da ist es schön warm.
4. Wenn Eva und Julia in Spanien _____, würden sie am Nachmittag Siesta machen.
5. Wenn ich in Japan _____, würde ich ganz oft Karaoke singen.
6. Viele Schüler _____ gern für ein Jahr im Ausland.
7. _____ ihr heute auch lieber im Schwimmbad als im Klassenzimmer?
8. Jan sagt, dass er am liebsten ein Popstar _____.

> wäre • wären •
> wärt • wärst •
> wären • wäre •
> wären • wäre

b **What do Nadja and Pia say? Complete.**

> sich entschuldigen • bald keine Freunde mehr haben • nicht so viel mit Keiko sprechen •
> viel vorsichtiger sein • sofort fragen, was los ist

1. Wenn ich Robbie wäre, ...
   würde ich nicht so viel mit Keiko sprechen.
2. Wenn ich mit jemandem flirten würde, ...
   _____
3. Wenn ich einen Fehler gemacht hätte, ...
   _____
4. Wenn meine Freundin sauer wäre, ...
   _____
5. Wenn ich so ein Idiot wie Robbie wäre, ...
   _____

Also, wenn ich Robbie wäre, ...

9 **Die/Der Neue**
What would you do if ...? Complete the sentences.

1. Wenn ich meinen Lieblingsstar treffen würde, _____
2. Wenn ich sehr reich wäre, _____
3. Wenn ich perfekt Deutsch sprechen würde, _____
4. Wenn ich einen Gastbruder oder eine Gastschwester hätte, _____

10 Umlaute ä, ö, ü

a Listen to the sentences and fill in the blanks: *a, o, u* or *ä, ö, ü*?

2.8

1. G___nther r___ft immer p___nktlich ___m f___nf ___hr an.

2. Der B___cker b___ckt die Br___tchen nicht sp___t, sondern fr___h.

3. Sie h___ben ___ns viel Gl___ck gew___nscht.

4. Wenn ich k___nnte, w___rde ich n___r W___rst ___nd W___rstchen essen.

b Listen again and read out loud.

11 Die beliebtesten Austauschländer

a Read Bruno's report in the student newspaper. Is Bruno happy in Germany?

Neu im Orchester: Bruno aus Peru

Vor einem Jahr bin ich mit meiner Familie von Peru nach Stuttgart gezogen. Ich wollte nicht umziehen, sondern in Lima bei meinen Freunden bleiben. Aber ich musste natürlich mit. Deshalb habe ich mich mit meinen Eltern sehr gestritten. Auch in Deutschland war ich noch sauer und habe nicht viel mit ihnen geredet. In Stuttgart war alles neu, besonders die Sprache, denn die Menschen hier sprechen einen Dialekt: Schwäbisch. Deutsch habe ich ja schon drei Jahre in Peru gelernt, aber Schwäbisch ist ganz anders. Meine neue Klasse ist wirklich nett. Trotzdem habe ich mich am Anfang sehr allein gefühlt.

Aber dann habe ich Finja kennengelernt. Ich habe sie zum ersten Mal auf dem Schulkonzert gesehen. Sie spielt im Orchester Geige. Deshalb bin ich jetzt auch Mitglied im Schulorchester und spiele Pauke. Die Atmosphäre im Orchester ist super. Der Leiter, unser Musiklehrer, hat viel Humor und macht ständig Witze, aber wir üben auch hart. Finja ist jetzt meine Freundin. Sie kann sehr gut Geige spielen, sie ist hübsch und intelligent und spricht sogar Spanisch! Jetzt bin ich nicht mehr allein und habe auch kein Heimweh mehr, aber meine Freunde in Lima vermisse ich trotzdem. Wenn ich noch einmal umziehen würde, würde ich sofort ins Schulorchester gehen. Und ich würde mich nicht so sehr mit meinen Eltern streiten. Jetzt verstehen wir uns wieder richtig gut.

☐ Ja, Bruno ist glücklich.   ☐ Nein, Bruno ist unglücklich.

b Read one more time. True or false? Mark.

	richtig	falsch
1. Bruno hatte Streit mit seinen Eltern, weil er nicht nach Stuttgart ziehen wollte.	☒	☐
2. Bruno hatte Probleme mit der Sprache, weil er noch kein Deutsch konnte.	☐	☐
3. Finja ist ein Mädchen aus Brunos neuer Klasse.	☐	☐
4. Finja und Bruno spielen jetzt zusammen im Schulorchester.	☐	☐
5. Bruno hat Streit mit seinen Eltern, weil er ins Schulorchester geht.	☐	☐
6. Bruno vermisst seine Freunde aus Lima jetzt immer noch.	☐	☐

12 Austauschjahr in meinem Traumland

a Read Kristin's e-mail to Michelle. Mark the subjects in the sentences.

Hallo Michelle!

Ich habe tolle Neuigkeiten: Wir haben einen neuen Mitschüler in unserer Klasse! Er kommt aus Japan. ____(1)____ Er heißt Yuji. Er war gestern das erste Mal in unserer Klasse. Ich interessiere mich sehr für Japan. ____(2)____ Ich möchte später gern für ein Jahr nach Japan gehen. Ich möchte am liebsten in Tokio leben. ____(3)____ Ich weiß nicht, wie ich das machen soll. Ich würde in Japan ganz schnell Japanisch lernen. Ich würde viele Filme auf Japanisch sehen. ____(4)____ Ich würde in einem Club Karate machen. Ich hätte dann bald viele japanische Freunde.

Ich habe Glück. ____(5)____ Jetzt kenne ich Yuji. Er kann mir bestimmt alles über Japan erzählen. Er kennt sicher Mangas, die es hier nicht gibt. ____(6)____ Er liest auch gerne Mangas. Ich erzähle dir nächste Woche mehr. Bis dann!

Kristin

1. und
2. deshalb
3. aber
4. außerdem
5. weil
6. denn

b Some sentences can be connected. Use the words from 12a on the right.

1. _Er kommt aus Japan und (er) heißt Yuji._
2. _Ich interessiere mich sehr für Japan, deshalb_
3. _____
4. _____
5. _____
6. _____

c Rewrite the sentences from 12a with the underlined words. Begin with the underlined words.

1. Gestern _war er das erste Mal in unserer Klasse._
2. In Japan _____
3. Dann _____
4. Bestimmt _____
5. Nächste Woche _____

d Write the e-mail again with the new sentences from 12b and c in your notebook.

Hallo Michelle!
Ich habe tolle Neuigkeiten: Wir haben einen neuen Mitschüler in unserer Klasse! Er kommt aus Japan und heißt Yuji. Gestern war er ...

Wörter – Wörter – Wörter

13 Ich bin neu hier.

a Which words do not fit? Cross them out.

1. Aussehen: schlank – blass – hübsch – ~~lecker~~
2. Kleidung: egoistisch – geschmacklos – ausgeflippt – modern
3. einen Platz: anbieten – wählen – stehen – suchen
4. ein Austauschjahr in Spanien: machen – verbringen – planen – gehen

b Find 4 words for each word web. Are you familiar with any more words that fit?

Austauschschüler • Schuluniform • ~~Gastfamilie~~ • Surfanzug • Austauschjahr
Klamotten• Halbbruder • Cousin • Ausland • Geschwister • Badehose • Schule

Gastfamilie

14 In der Schulcafeteria
Complete the dialog with the words from the box.

frei • Sprache • Bargeld • exotisch • Streitereien •
Geldkarte • ~~vermisse~~ • unterhalten • Strand • Austausch

● Sag mal, dein Bruder ist doch schon in Brasilien, oder?

○ Ja. Ein Jahr ohne Thomas. Ich _vermisse_ (1) ihn jetzt schon.

● Wirklich? Ich wäre froh, wenn mein Bruder einen _____ (2) machen würde. Die

_____ (3) mit dem Blödmann nerven. Wohnt dein Bruder in Brasilien

am _____ (4)?

○ Ja, und er sagt, es ist total _____ (5) dort. Er kann sich aber noch nicht so gut

_____ (6).

● Ach, die _____ (7) lernt er doch ganz schnell.

■ Hallo Leute, ist der Platz hier noch _____ (8)?

○ Ja, klar. Aber willst du dir nichts zum Trinken holen?

■ Geht nicht. Ich habe meine _____ (9) vergessen.

○ Stimmt, mit _____ (10) kannst du leider nicht bezahlen. Hier, nimm meine!

15 Meine Wörter
Which words, expressions or sentences are important to you? Write them down.

_____

Wohnwelten

1 Wohnwelten

a Fill in the words.

das Hausboot • das Baumhaus • die Höhle • die Almhütte • die Kirche

1. Unsere Ferienwohnung liegt in einem Berg. Sie ist angenehm kühl, trocken und gar nicht dunkel. In den Ferien lebe ich in einer _____.

2. Unser Haus schaukelt immer ganz leicht, denn es schwimmt auf dem Wasser. Ich wohne in einem _____.

3. Wenn es windig ist, ist es unheimlich. Mein Haus bewegt sich hin und her, denn ich lebe in einem _____.

4. Unsere Wohnung ist sehr groß, wir haben viel Platz. Eigentlich leben wir alle in einem großen Zimmer. Das Gebäude war früher eine _____.

5. Für ein paar Tage in den Ferien ist es okay, aber es ist nichts los, gar nichts. Man muss sehr gerne allein sein, wenn man in einer _____ wohnt.

b What are the opposites? Connect.

alt   bequem   dunkel   ruhig   klein   alt

warm   laut   modern   kühl   hässlich

groß   neu   schön   unbequem   hell

c How would you like to live? Choose suitable adjectives and enter them in the correct form.

Ich möchte in einer _____ und _____ Wohnung leben. Dort habe ich ein _____ und _____ Zimmer. Es gibt _____ Fenster. In meinem Zimmer ist es im Winter _____ und im Sommer _____. Ich habe _____ Möbel: ein _____ Bett, einen _____ Schreibtisch mit einem _____ Computer, ein _____ Regal, einen _____ Schrank und einen _____ Fernseher.

2 Wie viele Leute leben da?

a *kein, keine, wenige, einige, viele, alle*: What fits? Fill in the blanks.

Adresse Springfield, 742 Evergreen Terrace

Es gibt _viele_____ (1) Städte mit dem Namen Springfield in den USA, über 50 Orte. Aber _____ (2) Ort mit diesem Namen ist so bekannt wie die Stadt der Simpsons. Dieses Springfield kennen _____ (3) Simpsons-Fans. Nicht alle, aber sehr _____ (4) Fans kennen auch den Straßennamen und _____ (5) wissen sogar die genaue Adresse, nämlich 742 Evergreen Terrace. Aber gibt es Springfield wirklich? Das wollten schon _____ (6) Fans wissen. Nur Matt Groening weiß das, denn er hat die Simpsons erfunden. Wenn Fans fragen, wo das „echte" Springfield liegt, sagt er nichts. Er gibt _____ (7) Antwort. Und er gibt nur _____ (8) Interviews.

b What is incorrect? Cross it out and write the correct word.

In unserer Klasse gibt es 21 Schüler.

1. ~~Viele~~ Schüler kommen aus Berlin, nämlich 21.   _Alle_____

2. Wenige Schüler wohnen in einem Wohnblock, nämlich 17.   _____

3. Alle Schüler fahren mit der U-Bahn zur Schule, nämlich 9.   _____

4. Einige Schüler leben in einem Haus am Stadtrand, nämlich 4.   _____

c How many people live here? Write sentences.

| auf dem Mond | in einer Stadt | in einem Einfamilienhaus | in einem Reihenhaus | auf der Erde |

1. _Auf dem Mond leben keine Menschen._____

2. _In einer Stadt_____

3. _In einem_____

4. _____

5. _____

> alle • viele • ~~keine~~ • einige • wenige

3

3 Wo wir wohnen

a What is that? Write the correct word for each photo.

<del>die Wohnung</del> • das Einfamilienhaus • das Hochhaus • der Wohnblock

1. _die Wohnung_   2. _____   3. _____   4. _____

b Read the descriptions and fill in the words with articles. What is the solution?

1. _der_   K I N D E R G A R T E N

2. _____

3. _____

4. _____

5. _____

6. _____

7. _____

8. _____

9. _____

10. _____

11. _____

Lösungswort: _____

1. Dort spielen, basteln, singen und essen die kleinen Kinder ohne die Eltern.
2. Tangstedt ist ein … von Hamburg.
3. Dort kann man Obst, Gemüse, Milch, Joghurt, Fleisch, Kekse usw. einkaufen.
4. Es wohnen sehr viele Menschen dort. In Deutschland gibt es drei: Hamburg, Berlin und München.
5. Dort sind viele Geschäfte in einem riesigen Haus.
6. Brot, Brötchen und Kuchen aus der … schmecken besonders gut.
7. Ein großes Gebäude mit vielen Wohnungen, aber kein Hochhaus.
8. Dort gibt es viel Wasser, aber keine Fische. Man muss Eintritt bezahlen.
9. Wandsbek ist ein … von Hamburg. Große Städte haben mehrere.
10. Dort lernen die Kinder lesen und schreiben.
11. Kinder, Jugendliche und Erwachsene mit einem Mitgliedsausweis können hier Fußball, Basketball oder Volleyball spielen, Gymnastik machen und viel mehr.

c **Read the text on p. 24 one more time. True or false? Mark.**

	richtig	falsch
1. Tangstedt ist in der Nähe von Hamburg.	☒	☐
2. Die Busse fahren in der Nacht nur noch alle 40 Minuten.	☐	☐
3. In Tangstedt fahren die Leute lieber mit dem Taxi als mit dem Bus.	☐	☐
4. In Wandsbek fahren die U-Bahnen samstags die ganze Nacht.	☐	☐
5. In Wandsbek wohnen nicht so viele Menschen in Einfamilienhäusern.	☐	☐
6. In Wandsbek kann man in der Freizeit nicht viel machen.	☐	☐

4 Wohnorte
Combine the sentences with *wo*.

1. Linus will in einen Sportverein gehen. Dort kann man Karate machen.

   Linus will in einen Sportverein gehen, wo man Karate machen kann.

2. Franka hätte gern eine neue Wohnung. Dort hat sie ein größeres Zimmer.

   _____

3. Ein Wohnblock ist ein Haus. Dort wohnen viele Familien.

   _____

4. Tangstedt ist ein Vorort. Dort fahren die Busse nur alle 40 Minuten.

   _____

5. Viele Jugendliche wollen in einer Stadt wohnen. Dort gibt es viele Freizeitangebote.

   _____

6. Linus wohnt in einem Vorort. Dort gibt es viele Einfamilienhäuser.

   _____

7. Milena wohnt nicht gern in der Stadt. Dort gibt es wenig Natur.

   _____

5 Schwierige Wörter aussprechen

a **From easy to difficult. Fill in the expressions like in the example.**

> das Schwimmbad • der Sportverein • ~~der Supermarkt~~ • die Grundschule • ins Schwimmbad
> gehen • in einen Sportverein gehen • ~~im Supermarkt einkaufen~~ • in die Grundschule gehen

1. der Markt	*der Supermarkt*	*im Supermarkt einkaufen*
2. das Bad	_____	_____
3. der Verein	_____	_____
4. die Schule	_____	_____

b **Check your answers with the CD. Speak along.**

2.9

6 Wohnen im Dorf oder in der Stadt

a **Friederike and Carsten are siblings. Read the statements. Who thinks life in the country is better, who prefers life in the city?**

Friederike: _____   Carsten: _____

Wir wohnen seit einem Jahr in einer ziemlich großen Stadt. Früher haben wir in einem kleinen Dorf gewohnt. Dort hat es mir besser gefallen. Alles war in der Nähe. Es gibt dort auch eine Disco und die ist so gut, dass sogar Leute aus der Stadt in diese Disco kommen. Außerdem mag ich Pferde und im Dorf gibt es viele Möglichkeiten zum Reiten. Das ist gar nicht teuer. Aber hier in der Stadt muss man viel bezahlen und der Weg ist weit. Shoppen kann man in der Stadt ganz gut, aber das ist mir nicht so wichtig.

Ich liebe Computer und Technik. Im Dorf gibt es keine guten Geschäfte, wo ich neue Sachen für meinen Computer, Spiele und so, kaufen kann. Hier in der Stadt gibt es viele Vorteile. Jetzt habe ich viele Möglichkeiten zum Shoppen. Und Discos gibt es auch mehr hier. Klar, die Disco in unserem Dorf ist wirklich super, aber man hat dort nie neue Leute kennengelernt. Das ist hier anders.

b **Who thinks this? Write down the correct names.**

1. _____ findet, dass man in der Stadt mehr bezahlen muss.

2. _____ ist der Meinung, dass man im Dorf alle kennt.

3. _____ findet, dass die Wege in der Stadt weiter sind.

4. _____ denkt, dass man im Dorf nicht alles kaufen kann.

5. _____ glaubt, dass es in der Stadt mehr Vorteile gibt.

c **Where do the sentences from the box fit? Match.**

> ~~Genau!~~ • Das ist nicht richtig. • Ich finde, dass es auch auf dem Dorf schön ist. • Das ist Unsinn. • Es ist doch klar, dass die Luft in der Stadt nicht so gut ist. • Du hast recht. • Das ist richtig. • Ein Vorteil ist, dass man viel Platz hat. • Das stimmt. • Das stimmt doch nicht! • Ja, das finde ich auch. • Ich bin der Meinung, dass Jugendliche Freunde in der Nähe haben müssen.

seine Meinung sagen	zustimmen	widersprechen
	Genau!	

7 Wo ist der Ausweis?

a Fill in the blanks. Listen to check.

2.10

● Kannst du mir bi _tte_ (1) meinen Ausweis mitbringen? Er i____ (2) irgendwo in meinem Zim_____ (3).

○ Welchen Ausweis? Was brau_____ (4) du denn, Bruderherz?

● Meinen Ausweis, sag' i____ (5) doch, den Personalausweis. Irgendwer wi____ (6) mich da nicht ins Kon_____ (7) lassen. Der Türsteher glaubt ni____ (8), dass ich schon 16 bin.

○ Und wo ist der Aus_____ (9)?

● Irgendwo in mei_____ (10) Zimmer!

○ Irge_____ (11) in deinem Zimmer ... Na bravo! Da so____ (12) ich deinen Ausweis finden? Wann hast du i____ (13) denn zum letzten Mal verwe_____ (14)?

● Das war irgendw_____ (15) vor ein paar Mon_____ (16). Ich weiß auch nicht mehr ge____ (17). Ruf mich an, wenn du ihn ha____ (18).

○ Das hat mir grade noch gef_____ (19).

● Danke, Schwesterherz!

b Fill in the appropriate form.

> irgendwann • irgendwas • irgendwas • irgendwer • irgendwie • ~~irgendwo~~ • irgendwo

1. Wo hast du das Foto gefunden? – _Irgendwo_____ auf dem Flohmarkt.

2. Wer hat das gesagt? – _____ aus meiner Klasse.

3. Ist Papa schon zu Hause? – Nein, er kommt _____ am Abend.

4. Was hat dein Freund gesagt? – _____ Blödes!

5. Hast du Angst vor der Prüfung? – Nein, _____ schaffe ich das schon.

6. Dein Handy klingelt! – Oh, Moment. Es ist _____ in der Sporttasche.

7. Was soll ich heute kochen? – _____ mit Reis.

8 Der Traum vom neuen Zimmer
Which form is correct? Mark.

1. Ich möchte in ☐ irgendeiner ☐ irgendeinem Großstadt leben. Berlin wäre super.

2. Da gibt es immer ☐ irgendeine ☐ irgendwelche tollen Möglichkeiten.

3. Und ☐ irgendeine ☐ irgendein See ist auch in der Nähe.

4. Ich kann dann immer mit ☐ irgendwelchen ☐ irgendeinen Kumpels Spaß haben.

5. Natürlich will ich nicht ☐ irgendeinem ☐ irgendeine Wohnung haben.

6. Ich würde in ☐ irgendeinem ☐ irgendeine schönen Stadtteil in einer Villa wohnen.

7. Bestimmt hätte ich ☐ irgendein ☐ irgendwelche Haustier.

9 Unser Lieblingsplatz
What all can you do in a youth center? Connect.

1. Billard und Tischfußball
2. Essen
3. Filme
4. Wände
5. Freunde
6. Partys

A sehen
B anmalen
C kochen
D feiern
E spielen
F treffen

10 Die Renovierung

a **What fits together? Connect the words with lines.**

der Handwerker   die Renovierung   der Nagel

der Pinsel

hämmern

streichen

die Farbe

das Holz   die Graffiti   der Baumarkt

b **Do you have a favorite place? What do you like to do there? What have you experienced there? Write a text in your notebook. Use as many adjectives as possible. The box helps.**

> bunt • leer • ruhig • modern • alt • hell • kostenlos • nah • riesig • schmutzig • wild •
> exotisch • genial • hoch • kaputt • bequem • warm allein • wütend • begeistert • deprimiert •
> glücklich • traurig • faul • fröhlich • anstrengend • ausgeflippt • aufregend • spannend • cool •
> herrlich • langweilig • ungemütlich • angenehm

> *Am liebsten bin ich im kleinen Gartenhäuschen von meinen Großeltern. Ich liebe die romantische Atmosphäre und die alten Möbel. Einmal habe ich dort ...*

Wörter – Wörter – Wörter

11 Wo und wie Leute wohnen

a Find twelve words on the topic of *Wohnen*. Write them with articles.

O	M	I	L	L	I	O	N	E	N	S	T	A	D	T
I	F	H	A	U	S	B	O	O	T	A	S	S	J	K
Z	V	B	F	B	G	J	W	E	R	E	S	T	I	O
E	I	N	F	A	M	I	L	I	E	N	H	A	U	S
N	C	X	Q	U	E	R	I	Z	K	L	O	D	P	T
T	G	H	V	E	I	L	O	P	A	N	C	T	R	A
R	F	V	O	R	O	R	T	S	Z	A	H	R	B	D
U	F	D	C	N	E	L	L	A	K	Y	H	A	Q	T
M	V	G	H	H	Ö	H	L	E	T	Ä	N	Ü	V	
M	T	E	W	O	H	N	U	N	G	N	U	D	C	H
A	S	G	H	F	E	D	O	R	F	R	S	B	I	G

1. *die Stadt*
2. _____
3. _____
4. _____
5. _____
6. _____
7. _____
8. _____
9. _____
10. _____
11. _____
12. _____

b Match the words with the explanations.

der Baumarkt • das Altenheim • die Handwerker (Pl.) • das Jugendzentrum • die Einwohner (Pl.) • die Senioren (Pl.) • das Material

1. Alle Leute, die in einem Ort leben: *die Einwohner*

2. Alte Menschen nennt man auch so: _____

3. Ein Ort, wo alte Menschen zusammen leben: _____

4. Leute, die in ihrem Beruf Häuser bauen oder renovieren: _____

5. Das braucht man, wenn man etwas renoviert: _____

6. Hier kann man Sachen zum Renovieren oder Bauen kaufen: _____

7. Dort können Jugendliche in ihrer Freizeit hingehen: _____

c Form adjectives. Write them in the appropriate sentence.

be } { freund } ge } ka } { lich } { lich } {müt} {putt} {quem} { schmut } { zig

1. Das Sofa in meinem Zimmer war alt und *kaputt*. 2. Das neue Sofa ist weich und _____.

3. Die Wände im Zimmer waren _____. Wir haben sie neu gestrichen. 4. Das Zimmer ist

jetzt hell und _____. 5. Ich finde, mein Zimmer ist jetzt sehr _____.

12 Meine Wörter
Which words, expressions or sentences are important to you? Write them down.

_____

Medien und Werbung

4

1 Das finde ich super!

a What are these things called? Write the article too.

1. *der Fernseher*   2. _____   3. _____   4. _____

5. _____   6. _____   7. _____   8. _____

b What could that be? Write the sentences correctly.

1. könnte / sein / das / ein Buch / . *Das könnte ein Buch sein.*
2. das / ein Spiel / vermutlich / ist / . _____
3. ist / das / wahrscheinlich / eine CD / . _____
4. glaube, / ist / ich / das / ein Film / . _____
5. ist / das / vielleicht / ein PC-Spiel / . _____

c Read the two comments. Who likes to play Wii games, who does not? Why? Write down keywords in your notebook.

Also, in meiner Freizeit mache ich viele verschiedene Sachen: Ich treffe Freunde, spiele Basketball und natürlich spiele ich gern am Computer. Seit Weihnachten haben wir eine Wii und das macht mir total viel Spaß. Ich kann es allein oder mit anderen zusammen spielen. Außerdem bewegt man sich und die Spiele sind spannend und lustig. Da kann ich super abschalten und fühle mich danach erholt.
Maria, 15 Jahre

Früher habe ich gern Nintendo gespielt, aber das mache ich nicht mehr oft. Wir haben auch eine Wii zu Hause, aber da spielen meine Geschwister. Mir ist das zu doof. Wenn ich Sport machen will, dann mache ich das richtig. Und wenn ich spielen will, dann auch richtig, nicht nur am Bildschirm. Ich finde, alte Spiele wie Monopoly oder einfach Kartenspiele machen am meisten Spaß.
Jo, 14 Jahre

Maria spielt ☐ gern ☐ nicht gern Wii-Spiele.   Jo spielt ☐ gern ☐ nicht gern Wii-Spiele.

– *macht viel Spaß*
– ...

d Write an e-mail to a friend. Report what you (don't) like to play on the computer.

Liebe/r ...,

2 Kauf mich!

a Read the description of a fantasy novel. True or false? Mark.

> Im Roman „Die Feuerinsel" macht Peter eine Abenteuerreise in ein fantastisches Land. Er trifft viele neue Freunde und findet mit der Hilfe eines Zauberers einen magischen Ring. Aber auch die gefährlichen Monster wollen den Ring. Wenn man den Ring hat, hat man nämlich große Kräfte. So kann Peter dem König der Feuerinsel helfen, gegen die Monster zu kämpfen. Am Ende gewinnt in diesem spannenden Buch die Freundschaft. Nur mit der Hilfe der Freunde aus dem fantastischen Land kann Peter in seine eigene Welt zurückkehren. Und durch die Erfahrungen der Reise findet er endlich auch Freunde in der wirklichen Welt.

	richtig	falsch
1. Peter macht mit seinen Freunden eine Abenteuerreise.	☐	☒
2. Er verliert den Ring des Zauberers.	☐	☐
3. Wer den Ring hat, ist besonders stark.	☐	☐
4. Peter kämpft gegen den König der Insel.	☐	☐
5. Peter bleibt bei seinen neuen Freunden.	☐	☐
6. Nach den Abenteuern ist er auch in der wirklichen Welt nicht mehr allein.	☐	☐

b Create 10 sentences. Pay attention to dative and accusative.

Hol dir	das Land	der Abenteuer!
Hilf	die Reise	des Jahres!
Reise in	der König	des Landes!
Entdecke	das Spiel	der Prinzessin!
Kämpfe für/gegen	die Stadt	der Träume!
Beschreib	der Kapitän	des Zauberers!
	der Freund	der Rakete!

1. Hilf dem König des Landes!

c From each word create two words. Use genitive. What fits better: singular or plural?

1. die Stadtmauer — die Mauer der Stadt
2. der Flugzeugkapitän
3. die Abenteuerwelt
4. die Clownsnase
5. das Traumland
6. der Schiffsbesitzer

4

3 Die Stimme der Werbung

a What is the advertisement for? Mark the correct solution.

1. Eis – Hamburger – Pizza – Süßigkeit

> Jetzt neu: Holt euch die leckere Diavolo von Gianni.
> Mit echt italienischen Gewürzen, viel Käse und
> Tomatensoße. Heiß, heißer, superheiß!

> Der Hit für den Herbst:
> Die neue Vampir-Saga mit Edgar & Alicia.
> Jede Seite voller Spannung und Romantik –
> Abenteuer pur!

2. Buch – DVD – Kinofilm – PC-Spiel

> Freunde besuchen in Nürnberg?
> Ins Museum in München?
> Für 30 Euro einen Tag mit der Bahn in ganz
> Bayern unterwegs.
> Genieß den Tag – mit der Bayernkarte!

3. Ausflug – Zugticket – Kurzurlaub – Museum

2.11

b Klaus is telling about his education. What did he do when? Match the keywords.

> Ausbildung zum Schauspieler machen • eigene Theatergruppe gründen •
> Auslandstournee machen • ~~erstes Mal auf der Bühne stehen~~ •
> Synchronsprecher in einem Kinderfilm • Beruf Synchronsprecher

1. mit 5 Jahren   *erstes Mal auf der Bühne stehen*
2. mit 8 Jahren   _____
3. mit 10 Jahren _____
4. mit 13 Jahren _____
5. mit 18 Jahren _____
6. mit 21 Jahren _____

c Write a short text with the keywords about Klaus's education in your notebook.

> *Klaus hat mit fünf Jahren das erste Mal auf der Bühne gestanden. Mit acht ...*

d Read the text and fill in the blanks.

> ausländischen • echt • liebsten • leicht • schnell • schwer • ~~gern~~ • teuer • verrückte

Klaus Kerner ist seit 20 Jahren Synchronsprecher. „Werbung mache ich _gern_ (1), da verdient

man nämlich gut. Aber am _____ (2) spreche ich in Animationsfilmen. Da muss man ganz

_____ (3) Sachen machen, zum Beispiel einen Baum oder Tiere sprechen. Das ist nicht

_____ (4) – aber es macht Spaß! Es ist auch _____ (5), einen _____ (6)

Film zu synchronisieren, denn alles muss _____ (7) wirken." Die Arbeit im Tonstudio ist sehr

_____ (8). Deshalb muss alles meistens _____ (9) gehen.

4 Technische Produkte

a What fits where? Sort the words in the table.

~~das Betriebssystem~~ • der Bildschirm • das Feature • die Grafik • die Grafikkarte • das Level •
die Maus • der Prozessor • die Registrierung • der Speicher • die Strategie • die Tastatur

Computer	Computerspiel
das Betriebssystem	

b Which (computer) game do you like? Why? Complete the sentences.

Das Spiel heißt _____. Ich kenne das Spiel seit _____.

Es ist gut, weil _____.

Man hat Erfolg, wenn man _____.

Ich finde super, dass _____.

Ich empfehle es allen Fans von _____.

5 Es ist toll, …

a What fits where best? Write the appropriate device.

der Fernseher • der Fotoapparat • das Handy • der MP3-Player • das Radio • die Wii

1. Es ist möglich, immer und überall zu telefonieren. _____

2. Es ist toll, Filme und Serien anzusehen. _____

3. Wir haben angefangen, alles zu fotografieren. _____

4. Es ist interessant, Nachrichten und Musik zu hören. _____

5. Es macht Spaß, zusammen im Wohnzimmer Tennis zu spielen. _____

6. Man hat die Möglichkeit, überall seine Lieblingsmusik zu hören. _____

b Students and their favorite music. Complete the sentences with an infinitive + zu.

1. Ben: Ich höre am liebsten Techno. Es ist toll, *die Musik ganz laut zu hören.* _____

   (hören / die Musik / ganz laut)

2. Sarah: Ich finde Reggae-Musik super. Ich habe dann Lust, _____

   (tanzen / in meinem Zimmer)

3. Anna: Ich höre vieles gern. Es ist mir aber wichtig, _____

   (verstehen / die Texte)

4. Simon: Punk-Musik ist die beste. Es ist möglich, _____

   (vergessen / alle Probleme)

4

c Which music do you like to listen to? Why? Write 4 sentences. Use an infinitive + *zu*.

> Ich höre gern House-Musik. Es ist besonders toll, zu dieser Musik zu tanzen. ...

6 Das ist doch ganz einfach!

a How should the words be? Write the solution and article.

1. SAUM _die Maus_   3. NEMÜ _____   5. TONBUT _____
2. STERFEN _____   4. VELEL _____   6. SCHILMBIRD _____

b Read the instructions for a PC game. Which step fits with which picture? Match.

1    2 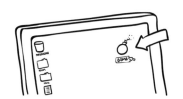   3

4 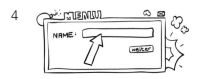   5    6

A Leg die CD in das Laufwerk ein. Die Installation beginnt automatisch. _Bild 5_

B Klick auf das Spiel-Symbol auf dem Bildschirm. _____

C Im Menükasten des Spiels musst du deinen Namen eintragen. _____

D Unten am Bildschirm kannst du die verschiedenen Funktionen wählen. _____

E Klick auf den Button oben links, wenn du auf die Startseite möchtest. _____

F Du kannst das Spiel verlassen, wenn du auf das Tür-Symbol klickst. _____

7 *s* wie in ...

a Does it sound like the *s* in *Sonne* or in *Fenster*? Mark and listen to check.

1. sauer   3. essen   5. Esel   7. Gras
2. heiß   4. Eis   6. super   8. Liste

b Read the sentences aloud. Listen to check.

1. Sieben Esel fressen grünes Gras. Grünes Gras fressen sieben Esel.
2. Im Sommer segelt Susi am liebsten in der Sonne auf dem See.
3. Besser süßes Sahneeis als gar keine Süßigkeit.

8 Tolles Schnäppchen!

a Listen one more time to Pia and Nadja's conversation from p. 34. Then answer
the questions.
2.14

1. Wer hat Pias Handy bezahlt? _____

2. Wie teuer war das Handy? _____

3. Wie lange ist der Vertrag gültig? _____

4. Wo hat sie das Handy gekauft? _____

b Why is Nadja in such a hurry? Read the three texts. Which picture fits?

A   B   C

1. Nadja fährt schnell nach
    Hause und geht ins Inter-
    net. Wenn die Tarife für
    das Handy nicht teuer sind,
    dann möchte sie selbst
    eins bestellen und Pia
    überraschen. Beim Surfen
    findet sie zufällig die Nach-
    richt von den Handytricks.
    Bild

2. Nadja hat vergessen, dass
    sie eine Verabredung mit
    Robbie hat. Sie fährt schnell
    zu ihm. Sie möchte ihm sofort
    von Pias Handy erzählen,
    denn sie will auch so ein
    Handy für Robbie bestellen.
    Robbie erzählt ihr von den
    Handytricks. _____

3. Nadja hat im Fernsehen
    einen Bericht über die
    Handytricks gesehen. Sie
    fährt schnell nach Hause,
    weil sie im Internet Infor-
    mationen über Pias Handy
    suchen möchte. Pia soll
    keinen teuren Tarif bekom-
    men, denn sie will oft mit
    ihr telefonieren. _____

c Nadja drives to Pia. Listen to the conversation. Which text from 2b is correct?
2.15

d *Ein Drittel, ein Viertel, die Hälfte, das Doppelte von …* Compare the prices.
How much more expensive/cheaper is the product?

1. Die Zeitschrift „Hallo" kostet _ein Drittel von der_

   Zeitschrift „Hurra".

2. Das Handy „Simpel" kostet _____

   _____

3. Das Buch „Yoga für Teetrinker" kostet _____

   _____

4. Die CD „Clique 13" kostet _____

   _____

5. Fotoapparat A kostet _____

   _____

9 Preisvergleich

a What do you buy where? Connect with lines.

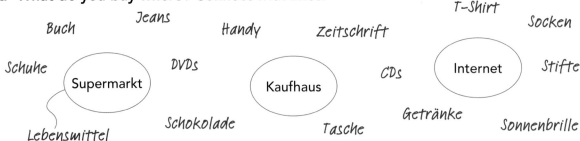

Buch Jeans Handy Zeitschrift T-Shirt Socken

Schuhe DVDs CDs Internet Stifte

Supermarkt Kaufhaus

Lebensmittel Schokolade Tasche Getränke Sonnenbrille

b Write sentences in your notebook where you shop for what.

> Unsere Lebensmittel, Zeitschriften und Schokolade kaufen meine Mutter und ich immer im Supermarkt. Im Kaufhaus ...

10 Beschweren – ganz leicht!

a A friendly telephone conversation with the hotline. Match the sentences.

1. ● Guten Tag, Handy-Hotline. Sie sprechen mit Karen Schwartz.
2. ● Wie kann ich Ihnen helfen?
3. ● Das ist schön! Sind Sie zufrieden?
4. ● Darf ich fragen, warum? Gibt es irgendwelche Probleme mit dem Vertrag?
5. ● Aha, ich verstehe. Dann müssen Sie uns eine schriftliche Kündigung und das Handy schicken.
6. ● Kann ich noch etwas für Sie tun?
7. ● Das machen wir, wenn wir Ihre Kündigung erhalten haben.
8. ● Bitte sehr. Dann auf Wiederhören!

A ○ Ja, bitte überweisen Sie mir die Grundgebühr zurück auf mein Konto.

B ○ Das Problem ist, dass die Tarife viel teurer als normalerweise sind.

C ○ Tschüs.

D ○ Ich schicke Ihnen beides sofort.

E ○ Guten Tag, mein Name ist Sophie Miller.

F ○ Vielen Dank.

G ○ Ich habe vor einer Woche einen Handyvertrag abgeschlossen.

H ○ Nein, ich möchte meinen Vertrag sofort kündigen.

b Act out the dialog with a partner.

11 Die bunte Welt der Werbung

Look for one example each of a "good" and "bad" advertisement (on TV, in the newspaper, on the internet). Why do you (not) like the advertisement? Write down the reasons with keywords. Then write a short text. The box will help.

> Mir gefällt sehr gut, dass ... • Die Werbung interessiert mich (nicht), denn ...
> So eine Werbung finde ich langweilig, weil ... • Ich finde die Werbung cool, weil ...
> Mir ist bei Werbung wichtig, dass ... • ..., deshalb ist das eine gute/schlechte Werbung.

Wörter – Wörter – Wörter

12 Die Welt der Computerspiele

a What fits? Mark.

1. Man ☒ macht ☐ kommt eine Abenteuerreise.

2. In diesem Computerspiel kann man magische Welten ☐ entspannen ☐ entdecken.

3. Es ist gefährlich, wenn man gegen Monster ☐ kämpft ☐ trifft.

4. Vielen gefällt es, wenn sie Städte ☐ wohnen ☐ bauen können.

5. Bei diesen Spielen muss man strategisch ☐ denken ☐ bewegen können.

b Do you recognize the terms for computer? Add.

1. B__d__irm
2. Fe__ter
3. Lau_we_
4. B__tt__n
5. T__atur
6. ___nü
7. Ma__
8. Gr__ik

13 Die Welt des Handys

a Are you a cell phone expert? Write the answers.

1. Wenn man ein neues Handy will, muss man ihn unterschreiben. _____ ▢

2. Danach ist man für die Firma ein ... K U N D E

3. Man muss jeden Monat vom Bankkonto Geld an die Firma ... ▢_____

4. Wenn man das Handy nicht mehr will, muss man ... __▢_____

5. Wenn man nicht zufrieden ist, sollte man sich bei der Firma ... _____▢____

6. Das sind die festen Preise für das Telefonieren. ___▢____

Lösung: Jeden Monat zahlt man für das Handy eine Grund_____.

b How should it be?

¼ ein LIEVERT _____

½ eine ÄHLFTE _____

⅓ ein TRILDET _____

x2 das POPLETED _____

14 Die Welt der Werbung
What do you need for this advertisement? Match.

> 1. Computerkenntnisse 2. Schauspieler 3. Foto 4. Musik 5. Kamera
> 6. Mikrofon 7. kurzer Infotext 8. Grafikprogramm 9. Sprecher 10. Drehbuch

A: Printwerbung 3, 7   B: Audio-Spot _____   C: TV-Spot _____   D: Internetwerbung _____

15 Meine Wörter
Which words, expressions or sentences are important to you? Write them down.

_____

1 UNESCO Weltnaturerbe

2.16
a **Listen and look at the photos. Which photo fits? Mark.**

☐ Klettern in den Schweizer Alpen: Jungfrau-Aletsch-Region (Schweiz)

☐ Spaziergang im Wattenmeer der Nordsee (Deutschland, Dänemark, Niederlande)

☐ Schwimmen im Neusiedler See (Österreich, Ungarn)

b **Match the words with the sentences. Which picture from 1a do they fit with?**

1. das Wattenmeer

2. das Salzwasser

3. die Flut

4. die Ebbe

5. der Wattwurm

6. der Schlick

A Von ihm bekommt man schmutzige Füße. Er ist ein Teil des Meeresbodens.

B Er ist ein bekanntes Tier im Wattenmeer.

C Es liegt jeden Tag einige Stunden unter Wasser und ist dann ein Teil vom Meer. Aber alle sechs Stunden zieht sich das Meerwasser zurück. Dann ist „das Watt" trocken und wie ein Stück vom Strand.

D Das Wasser schmeckt salzig.

E Das Meer kommt zurück und der Boden wird mit Wasser überflutet.

F Bei ihr geht das Meerwasser alle sechs Stunden zurück und der Boden wird trocken.

2 Eine Wanderung durchs Meer

a **Read the info flyer. What information are you getting? Mark.**

Eine Wanderung durchs Meer
Erleben Sie in Ihrem Urlaub an der Nordsee die Natur – bei einer Wattwanderung!

Im größten Wattenmeer der Erde, seit 2009 UNESCO-Weltnaturerbe, gibt es viel zu sehen.
Von der Insel Wangerooge bis zum Festland sind es nur zehn Kilometer. Dazwischen liegt das Wattenmeer – einige Kilometer, die bei Ebbe trocken zurückbleiben.
Unsere Führer machen eine Wanderung über diesen trockenen Meeresboden für Sie zu einem echten Naturerlebnis: Sie laufen zusammen durch Schlick und graben nach Wattwürmern. Man zeigt Ihnen typische Pflanzen und Vögel, zum Beispiel den Austernfischer.

Im Frühjahr und Herbst ist eine Tour durch das Watt besonders interessant, denn Millionen von Vögeln machen hier Pause, wenn sie auf dem langen Weg nach Afrika sind oder von dort zurückkommen. Dieses Naturschauspiel sollten Sie nicht verpassen!

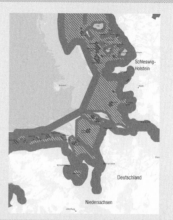

• Dauer: 2,5 Std. • Strecke: 3–4 km • Treffpunkt: Alter Leuchtturm Wangerooge • Kosten: 6,00 €, Kinder bis 14 Jahre 3,00 € • Gummistiefel und Windjacke nicht vergessen • Anmeldung unter Tel. 04469/5923

1. Das Wattenmeer an der Nordseeküste ist das größte der Welt. ☒

2. Bei einer Wattwanderung läuft man bei Ebbe auf dem trockenen Boden des Meeres. ☐

3. Eine Wattwanderung darf man nicht allein machen. Man braucht immer einen Führer. ☐

4. Bei einer Wattwanderung erfährt man etwas über die Tiere an der Nordsee. ☐

5. Im Watt kann man viele Vögel sehen, die im Winter in Afrika leben. ☐

6. Nach 3 bis 4 Kilometern gibt es eine Pause am Alten Leuchtturm Wangerooge. ☐

b Listen to the tour of the *Watt* in six parts. Put the information in the correct order.

2.17–22

1. ___ Im Wattenmeer leben besondere Tiere und Pflanzen. Daher ist es genauso wichtig wie das Great Barrier Reef und der Grand Canyon.

2. ___ Im Wattenmeer leben viele Vögel, die man nicht stören darf.

3. ___ Nur bei Ebbe kann man auf dem Meeresboden eine Wanderung machen.

4. ___ Die Pflanze mit dem Namen „Queller" ist sehr salzig. Man kann sie essen.

5. ___ Die kleinen Sandhaufen im Watt sind vom Wattwurm.

6. _1_ Man soll auf einer Wattwanderung Gummistiefel tragen.

c Listen one more time. What information did you get during the tour which is not in the info flyer in 2a? Write notes about the following points.

der bekannteste Bewohner des Wattenmeeres *macht Sandhaufen*

(der Wattwurm)

(Größe des Wattenmeeres)

eine Pflanze im Watt

(der Queller)

3 Nach der Führung

Listen to the three conversations. What is the topic? Two topics do not fit.

2.23

das UNESCO-Weltnaturerbe • die Insel Wangerooge • Wattwürmer • Gummistiefel • der Queller

1. _____ 2. _____ 3. _____

4 Einzigartige Landschaften

Which landscapes are important and famous in your region/country?
Write a text with all of the information in your notebook.

5 Das ist mir wichtig.

1 Das kann ich selbst besser.

a What are the words? Write the articles too.

A 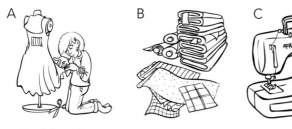 B C 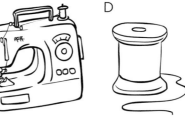 D E

die Schneiderin _____ _____ _____ _____

b Listen to the interview with Janina from p. 42 one more time. True or false? Mark.

2.24

	richtig	falsch
1. Janinas Kleidungsstil ist anderen Leuten egal.	☐	☒
2. Janinas Eltern sind nicht immer zufrieden mit ihrer Kleidung.	☐	☐
3. Janina sagt, dass viele Leute in der Textilproduktion wenig Lohn bekommen.	☐	☐
4. Kleidung kommt normalerweise direkt aus Europa.	☐	☐
5. Umweltfreundliche Kleidung gibt es nicht in jedem Geschäft.	☐	☐
6. Janina verkauft ihre Sachen schon im Internet.	☐	☐
7. In den Ferien macht sie ein Praktikum in Italien.	☐	☐

2 Dein Hobby

a Read the comments. Which hobbies do the terms fit with? Match.

Kultur _C_ Basteln _____ Lesen _____ Reisen _____ Tiere _____ Sport _____

A Also, ich liebe gute Geschichten. Wenn ich ein Buch in der Hand habe, kann ich die Welt um mich herum vergessen.

B Fußball ist toll! Ich weiß gar nicht, wie man ohne so ein Hobby leben kann. Meine Freunde und ich spielen fast jeden Tag und wir haben viel Spaß.

C Meine Freunde finden das sehr seltsam, aber ich liebe Museen. Dort gibt es wunderschöne Sachen und man erfährt immer etwas Neues.

D Für mich ist das Wichtigste, selbst kreativ zu sein. Seit einem Jahr mache ich Schmuck selbst, am liebsten Ohrringe und Ketten. Sie sehen super aus und sind nicht teuer.

E Na, ich bin ganz verrückt nach Pferden. Wenn ich bei ihnen im Stall bin, fühle ich mich glücklich und frei! Hunde sind auch toll. Ich weiß ganz viel über sie, aber leider bekomme ich keinen.

F Andere Länder interessieren mich sehr und seit ich 16 bin, darf ich allein unterwegs sein. Ich fahre in den Ferien immer weg und habe schon viel gesehen und erlebt.

b Sort the interview with an avid vacationer. Which questions and answers fit together?

1. Was machst du am liebsten in deiner Freizeit? _C_

2. Wann hast du damit angefangen? _____

3. Warum gefällt dir das so gut? _____

4. Haben deine Freunde dasselbe Hobby? _____

5. Was denkst du: Machst du das in zehn Jahren auch noch gern? _____

A Also, ein paar von ihnen schon. Aber ich finde, jeder soll das machen, was ihm selbst Spaß macht.
B Mir gefällt das Reisen so gut, weil man jeden Tag etwas Neues erlebt. Man lernt viel über andere Länder, aber auch über sich selbst.
C Ich reise am liebsten! Allein, mit meinen Eltern, mit Freunden, mit dem Flugzeug oder Fahrrad, Campingplatz oder Hotel – egal. Unterwegs sein ist einfach großartig!
D Und in fünfzig Jahren! Vielleicht reise ich anders, wenn ich mehr Geld habe oder wenn ich älter werde, aber ich bin sicher, dass es immer mein Hobby sein wird.
E Meine Familie ist in den Ferien immer verreist, wahrscheinlich hat so auch mein „Reisefieber" begonnen, also als ganz kleines Kind.

c What is your hobby? Write answers to the questions from 2b.

1. Am liebsten …

3 Wie siehst du denn aus?

a Are the comments positive, negative or neutral? Write in the table.

~~Oh nein, was hat sie denn heute an?~~ • Na, es steht ihr schon. • Das ist Geschmackssache. • Wie peinlich! • Mir ist das egal. • Weiter so! • Soll das ein Kleid sein? • Das sieht man nicht jeden Tag. • Du hast wirklich Talent!

positiv	negativ	neutral
	Oh nein, was hat sie denn heute an?	

b Look for a photo of a celebrity and describe the style of clothing. How do you like the style? Why? Write a short text in your notebook.

Das ist ein Foto von Bill Kaulitz von Tokio Hotel. Er zieht sich rockig und wild an.

4 Wie wichtig ist Markenkleidung für dich?

a How do the sentences end? Connect.

1. Ich habe gehört,
2. Das ist doch
3. Meiner Meinung nach ist
4. Für meine Meinung
5. Die Ware in unseren Geschäften
6. Talent ist bestimmt ein Grund
7. Second-Hand-Kleidung ist originell,
8. Im Internet gibt es
9. Viele Leute finden es wichtig,

A gibt es mehrere Gründe.
B trotzdem finde ich sie doof.
C ist oft zehntausend Kilometer gereist.
D dass Janina ihre Klamotten selbst näht.
E dass das Material umweltfreundlich ist.
F für Janinas Erfolg.
G Informationen über die Globalisierung.
H Markenkleidung einfach zu teuer.
I total verrückt!

b Do the sentences in 4a belong to a report or does someone use them to express their opinion? Match.

Bericht: _1,_ _____   Meinung: _2,_ _____

c Read the e-mail. What do Nelly and Mona think about brand-name fashion and about the prices? Highlight Nelly's and Mona's opinion with two colors.

Hallo,
also, gestern war ich mit meiner neuen Freundin Mona einkaufen. Wir haben etwas für eine Party gesucht, aber wir hatten ganz unterschiedliche Meinungen. Mir ist es ziemlich egal, wie teuer und von welcher Firma etwas ist. Für Mona ist es aber total wichtig, dass „der richtige Name" auf den Klamotten steht. Natürlich freut sie sich auch, wenn die Sachen nicht so viel kosten, aber es muss schon ein Markenprodukt sein. Viele Kleidungsstücke haben mir überhaupt nicht gefallen, obwohl es Markensachen waren. Wir haben dann in verschiedenen Abteilungen ge-sucht und rate mal, was am Ende passiert ist? Wir haben beide eine schwarze Jeans gekauft und ein schwarzes T-Shirt dazu. Mona war total glücklich, dass sie jetzt genauso eine Jeans wie die Sängerin von ihrer Lieblingsband hat, aber sie hat über 100 Euro ausgegeben und ich nur 50 Euro. Krass, oder? Warum soll man das Doppelte bezahlen, wenn die Sachen am Ende gleich aussehen? ☺ Verstehst du das?
Viele Grüße
Nelly

d What do you think about name-brand fashion and what is important to you when shopping? Write Nelly an answer.

Liebe Nelly,

nur 50 Euro, das ist ja toll! Ich ...

_____

_____

_____

_____

_____

_____

_____

5 **Mama, das ist ja peinlich!**

a **Which is the correct form? Mark.**

1. Pias Mutter hat ☒ einen langen Rock. ☐ einen lange Rock. ☐ eine langen Rock.

2. ☐ Ein langen Mantel ☐ Einen langen Mantel ☐ Ein langer Mantel   ist schön warm.

3. Paul trägt gern ☐ eine schwarzen Hose. ☐ einen schwarze Hose. ☐ eine schwarze Hose.

4. ☐ Ein grüne T-Shirt ☐ Ein grünes T-Shirt ☐ Einen grünen T-Shirt   steht Pia gut.

5. Nadja probiert ☐ ein kurzen Kleid. ☐ ein kurzes Kleid. ☐ einen kurzes Kleid.

b *Das war meine Lieblingskleidung.* **Fill in the endings. Pay attention to nominative, accusative or dative.**

Meine Lieblingshose war ein_e_ eng_e_ Jeans. Ich habe sie fast jeden Tag getragen, zusammen mit ein_____ rot_____ Hemd. Ein_____ schwarz_____ T-Shirt hatte ich auch. Und ich hatte ein_____ blau_____ Jeansjacke, die ich geliebt habe! Oft habe ich sie über ein_____ bunt_____ Pullover getragen. Paul würde das nie anziehen! Aber mir hat es gefallen.

Also, ich hatte auch lustig___ Sachen an. Am liebsten habe ich ein_____ blau___ Jeanshemd und ein___ lila Minirock über ein_____ blau_____ Strumpfhose getragen. Das Jeanshemd hat auch mit ein_____ rot_____ Rock super ausgesehen. Und damals gab es riesig_____ Ohrringe. Mit kurz_____ Haaren sah das „megacool" aus, wie man heute sagt.

6 **Mama, was hast du denn angezogen?**

a **Read the texts and fill in the proper adjectives.**

bunte • dunkle • helles • langen • bunten • weite

eleganter • lange • kleine • ~~langen~~ • schwarze • grauen • weiße

~~schwere~~ • lange • dunkle • langes • bequemen • weiße

Der Mann hat eine _____ Hose und eine _____ Jacke an. Unter der _____ Jacke hat er ein _____ T-Shirt an. Er hat _____ Haare. Die _____ Haare trägt er offen.

Die Frau trägt einen _langen_ Rock. Der _____ Rock ist schwarz. Sie hat auch _____ Schuhe an und eine _____ Bluse. Sie trägt _____ Ohrringe und einen _____ Hut. Es ist ein _____ Hut.

Der Typ trägt eine _schwere_ Kette. Die Mütze ist auch cool. Er hat _____ Schuhe an. Die _____ Schuhe sind offen. Er trägt ein _____ T-Shirt. Das _____ T-Shirt und die _____ Hose sehen sehr bequem aus.

b **What did you wear yesterday? Describe your clothes with lots of adjectives.**

Gestern hatte ich eine modische Hose mit ...

7 Super ist für mich, …!

a Comparative and superlative. What are the forms? Connect.

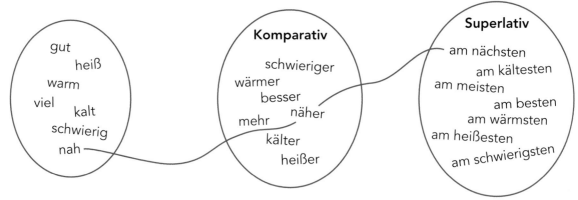

- gut
- heiß
- warm
- viel
- kalt
- schwierig
- nah

Komparativ
- schwieriger
- wärmer
- besser
- näher
- mehr
- kälter
- heißer

Superlativ
- am nächsten
- am kältesten
- am meisten
- am besten
- am wärmsten
- am heißesten
- am schwierigsten

b Which form is incorrect? Cross out.

1. am höchsten – hoch – höher – hochste
2. cool – am cooler – am coolsten – cooler
3. am großesten – größer – groß – am größten
4. weniger – am wenigsten – wenigster – wenig
5. leckerer – am leckerersten – lecker – am leckersten

c Read the commentary from Felix. Highlight the comparative and superlative forms. Collect them in the table.

Ich möchte gern
der beste DJ der Stadt werden.

Früher habe ich bei Partys von Freunden die Musik gemacht, aber jetzt habe ich sogar schon bei den größeren Discos in der Schule und im Jugendzentrum »aufgelegt«, weil ich vielleicht die coolste Plattensammlung von allen habe – das hat natürlich den größten Teil meines Taschengeldes gekostet. Meine größere Schwester gibt mir aber manchmal auch CDs mit älteren Songs – manche Leute tanzen ja am liebsten zu der ältesten Musik. Das Geld für die neuesten Downloads bekomme ich aber oft von den ältesten Verwandten, meinen Großeltern. Lustig, oder? ;-) Auf alle Fälle überlege ich sehr lang, wie ich beim nächsten Mal immer noch einen besseren Mix zusammenbasteln kann. Super ist, wenn alle Spaß haben und sich an meinen DJ-Namen erinnern. Das ist für mich der schönste Erfolg.

	nominative	accusative	dative
comparative			*den größeren Discos*
superlative	*der beste DJ*		

8 Das ist super!

a Sentences are missing from both comments. Match.

> Super ist, dass ich in der Schule wieder bessere Noten bekomme. _B_ (1) Es gab natürlich einen Grund, warum ich so schlecht war: ____ (2) Aber ich habe das Problem gelöst: ____ (3) Und am Wochenende lernt mein älterer Bruder mit mir. Bald brauche ich keine Hilfe mehr!

> Super ist, dass es in meiner Schule eine Theatergruppe gibt. Das neueste Stück ist echt spannend. ____ (4) Und ich spiele die Hauptrolle! ____ (5) Fast 25 Seiten! ____ (6) Sie haben Angst um meine Noten. ____ (7) Dann werden meine Eltern auch begeistert sein.

A Meine Eltern finden das leider nicht so toll.

B Endlich verstehe ich die Aufgaben wieder.

C Deshalb lerne ich jetzt besonders viel für die Schule.

D Am Ende des Jahres spielen wir es dann für alle auf der Bühne.

E Mein bester Freund hilft mir jetzt nachmittags.

F Ich war lange krank und konnte den schwierigen Schulstoff nicht gleich lernen.

G Also muss ich den meisten Text lernen.

b What is super? Finish the sentences. Use the adjectives in the base form (+), comparative (++) or superlative (+++). Don't forget the endings.

1. sein / auf der / cool (+++) / Party des Jahres / zu / .

   ... auf der coolsten Party des Jahres zu sein.

2. Silvester / feiern / mit den / gut (+++) / Freunden / zu / .

   ...

3. bekommen / in den / schwierig (++) / Tests / gute Noten / zu / .

   ...

Super ist, ...

4. kaufen / den / toll (+) / Mantel / endlich / zu / .

   ...

5. bestellen / das / lecker (+++) / Essen / im Restaurant / zu / .

   ...

6. machen / dem / alt (++) / Bruder / ein tolles Geschenk / zu / .

   ...

9 Crazy

a Read the biography of Benjamin Lebert on p. 118 and write the answers.

1. Wann und wo wurde Benjamin Lebert geboren? _____

2. In welchem Alter hat er das Buch „Crazy" geschrieben? _____

3. Wie erfolgreich war das Buch? _____

4. Was macht Benjamin Lebert heute? _____

5. Welche Information findest du noch interessant? _____

5

Benjamin Lebert wurde am 9. Januar 1982 in Freiburg geboren. Er kommt aus einer Schriftstellerfamilie. Er hat die Schule in der 9. Klasse abgebrochen und erst 2003 einen Schulabschluss gemacht. Schon als Jugendlicher hat er bei einer Jugendzeitschrift mitgearbeitet und mit 17 Jahren seinen ersten Roman „Crazy" geschrieben. Diesen Roman gibt es heute in 33 Sprachen und er wurde schon über eine Million Mal verkauft. Wie die Hauptperson in „Crazy" ist Benjamin Lebert selbst halbseitig gelähmt. Sein Beruf ist jetzt Schriftsteller und er hat bis heute noch einige Bücher geschrieben: „Der Vogel ist ein Rabe" (2003), „Kannst du" (2006) und „Der Flug der Pelikane" (2009). Er lebt in Hamburg.

b Read the two excerpts from "Crazy" in the "Classwork" section on p. 46/47 one more time. Look for six other words for the verb *sagen* and write them in the infinitive. Look up their exact meaning in the dictionary.

1. _fragen_   3. _____   5. _____
2. _____   4. _____   6. _____

10 **Gleiche Konsonanten an der Wortgrenze**
Listen to the expressions and read along out loud.

2.25
1. roter Rock
2. im Moment
3. in Nürnberg
4. sieben Nachbarn
5. zwölf Fische
6. acht Tiere
7. alles super
8. echt toll
9. voll lustig

11 **Eine Buchpräsentation**

a **Which expressions or sentences do you hear in Julia's book report? Mark.**

2.26
Das Buch handelt von … • Ich erzähle euch heute etwas über … • Es passiert sehr viel. • In der Geschichte geht es um … • Ich möchte euch einen Abschnitt vorlesen. • Ich finde das Buch super, weil … • Es gibt auch ganz besondere Figuren. • Die Geschichte ist nicht spannend. • Ich kann das Buch allen empfehlen, die …

b **Listen to the book report one more time. Answer the questions.**

1. Um welches Buch geht es? Wer ist die Autorin? _Es geht um „Tintenherz" von Cornelia Funke._
2. Wie viele Bücher gibt es von ihr? _____
3. Was können Meggie und Mo? _____
_____
4. Was müssen sie schaffen? _____
5. Was hat Julia besonders gefallen? _____
_____
6. Wem empfiehlt Julia das Buch? _____
_____

Wörter – Wörter – Wörter

12 Rund um die Arbeit

a Find six words on the topic of *Arbeit*. Write them with articles.

MUHAFABRIKTULIPEKMATERIALSÖLOHNGTOKVARPRODUKTIONNERTRANSPORTINGFÜPREISTHI

die Fabrik, _____

b Where do the words fit? Match.

das Geschäft   das Material   die Schere   die Industrie

die Modenschau   die Schneiderin

die Nähmaschine   (Kleidung machen)   (Kleidung verkaufen)   die Werbung

das Internet   der Stoff   der Preis   der Spiegel

die Fabrik   der Knopf

13 Das kann man immer brauchen.

a What are the words?

1. Bei Mode und Musik hat jeder einen anderen …   G _ _ _ _ _ _ _ _ _

2. Dir gefällt heute sehr, was eine Freundin anhat. Du machst ihr ein …   K _ _ _ _ _ _ _ _ _

3. Manche Leute ziehen immer ganz typische Sachen an.
   Sie haben einen eigenen …   S _ _ _ _

4. Wenn man etwas schon als Kind gut kann, dann hat man ein …   T _ _ _ _ _ _

5. Wenn man lange für etwas arbeitet und es dann schafft, hat man …   E _ _ _ _ _ _

b Difficult adjectives. What are the words supposed to be? Sort the letters.

1. PULÄRPO _____
2. KASSR _____
3. NEIPLICH _____
4. KRIVEAT _____
5. ILGELAL _____
6. LLENIGIRO _____

14 Nicht wie alle anderen
Fill in the words.

1. Jemand, der nicht sehen kann, ist _____.

2. Jemand, der nicht hören kann, ist _____.

3. Jemand, der nicht seinen ganzen Körper bewegen kann, ist _____.

15 Meine Wörter
Which words, expressions or sentences are important to you? Write them down.

_____

Kommunikation

1 Da fehlt doch was!

a With which situations do the words and expressions fit? Match them.

> ~~am Computer arbeiten~~ • ~~campen~~ • ~~den Raum dekorieren~~ • der Schreibtisch • das Zelt •
> Tische aufstellen • die Campingausrüstung checken • die Party vorbereiten •
> einen Ausflug planen • eine Präsentation vorbereiten • der Vortrag • Getränke einkaufen •
> Fotos einscannen • der Kocher • eine Torte organisieren • Informationen sammeln •
> die Rucksäcke packen • der Plattenspieler

A   Omas Geburtstag feiern

den Raum dekorieren, _____

_____

_____

B   ein Referat über Pferde machen

am Computer arbeiten, _____

_____

_____

C   einen Campingausflug vorbereiten

campen, _____

_____

_____

b How certain are you? Write your assumptions with *bestimmt/sicher, wahrscheinlich,*
vielleicht and *eventuell.*

1. am Geburtstag eine Party
   machen
      Ich mache an meinem Geburtstag vielleicht eine Party.
   _____

2. eine gute Note in Deutsch
   bekommen
   _____
   _____

3. in den nächsten Ferien
   wegfahren
   _____
   _____

4. am Wochenende Freunde
   treffen
   _____
   _____

5. einen Freund um Hilfe bitten
   _____
   _____

2 Ich brauche dringend …
What are these people looking for? The sentences are mixed up. Sort.

1. Einstein 2.0 sucht dringend eine Person, _C_

2. Samuel braucht einen Zauber-stift, … _____

3. Eva möchte einen Kletter-baum, … _____

4. Isabella sucht alte Fotos, … _____

A … mit dem er bei einer Prüfung schummeln kann.

B … mit denen sie ein schönes Geschichtsprojekt machen kann.

C … von der er das Matheheft für die 8. Klasse leihen kann.

D … auf dem sich ihre kleine Katze Minka wohlfühlt.

3 Erfindungen, auf die die Welt wartet

a Important inventions for students. What fits? Fill in.

auf das • in dem • in der • mit dem • ~~mit der~~ • von dem

1. Eine Teetasse, _mit der_ man sprechen kann.
2. Eine Schultasche, _____ immer alles für die Schule drin ist.
3. Ein Zimmer, _____ man nie aufräumen muss.
4. Ein Sparkonto, _____ man nie Geld zahlen muss, _____ man aber immer Geld holen kann.
5. Ein Kopfhörer, _____ man im Schlaf lernen kann.

b Highlight the pronouns in the second sentence on the left. Then complete the relative clause on the right.

1. Jens ist ein guter Freund. Ich telefoniere oft mit ihm.
   Jens ist ein guter Freund, _mit dem ich oft telefoniere._

2. Sabrina ist eine Freundin. Mit ihr habe ich gerade Streit.
   Sabrina ist die Freundin, _____

3. Peer und Ines sind Freunde. Ich gehe mit ihnen in die Schule.
   Peer und Ines sind Freunde, _____

4. Am liebsten mag ich Ivan. Für ihn habe ich immer Zeit.
   Am liebsten mag ich Ivan, _____

5. Sibel ist meine beste Freundin. Ich würde alles für sie tun.
   Sibel ist meine beste Freundin, _____

6

4 Ein Projekt über Grenzen

a **What do the students do in the various project phases? Correct the verbs in the notes. Looking at p. 52 will help.**

1. den Kontakt mit der anderen Schule ~~präsentieren~~   *herstellen*

2. die Arbeit im Projekt herstellen   _____

3. Informationen zum Grünen Band machen   _____

4. den Ausflug mit den tschechischen Schülern sammeln   _____

5. die Ergebnisse in einer Ausstellung planen   _____

b **What did the students do? Fill in the verbs from 4a in the perfect tense.**

Die Schüler aus Cham haben

1. zuerst den Kontakt mit der anderen Schule *hergestellt* ,

2. dann die Arbeit im Projekt _____

3. und verschiedene Informationen zum Grünen Band _____ .

4. Schließlich haben sie einen Ausflug zum Grünen Band _____

5. und zum Schluss in einer Ausstellung die Ergebnisse _____ .

c **With which periods do the texts fit? Match.**

Eiserner Vorhang	Öffnung der Grenze	das Grüne Band	Schengen-Grenze
1945–1989	1989/1990	seit 2004	seit 2007
Text _2_	Text _____	Text _____	Text _____

1	2	3	4
Wo früher die Grenze war, gibt es jetzt viele seltene Tiere und Pflanzen. Ich habe sogar schon einmal zwei Wölfe gesehen. Und ich hatte gar keine Angst. Anna Thaler, Cham, 14 Jahre	Ich bin in Plzeň geboren und lebe dort. Wir durften über 40 Jahre lang nicht nach Deutschland reisen. Wir durften auch nicht in die Nähe der Grenze fahren. Vaclav Kundera, geb. 1960	Wenn ich nach Deutschland fahre, dann brauche ich keinen Pass, das ist ganz einfach. Mein Vater sagt immer, das ist wunderbar. Wieso? Für mich ist es ganz normal. Petr Rosiscky, Plzeň, 18 Jahre	Der 9. November 1989 ist so etwas wie mein zweiter Geburtstag. Ich war 25 Jahre alt und zum ersten Mal konnte ich in Berlin hinfahren, wo ich wollte. Das war unglaublich schön. Sabine Beimer, Berlin, geb. 1964

5 Über die Grenze

a Listen to the interview with Jakob. In which order do you hear the information? Sort.

2.27

A Die Schüler haben schon lange vor dem Plan für die Ausstellung recherchiert.

B Das Projekt hat den Schülern Spaß gemacht.

C Die Schüler haben die wichtigsten Themen diskutiert.

D Die Schüler haben zuerst die Direktorin gefragt.

E Die Schüler hatten die Idee für die Ausstellung.

F Die Schüler haben die Ausstellung geplant und Material gesammelt.

G Alle in der Klasse haben viel für die Ausstellung gearbeitet.

1. _D_   2. _____   3. _____   4. _____   5. _____   6. _____   7. _____

b Read the report. Fill in the verbs from 5a in the simple past.

Projekt-Protokoll

Wir _recherchierten_ (1) für das Projekt. In der Klasse _____ (2) wir die wichtigsten Themen. Da hatten wir die Idee für eine Ausstellung. Zuerst _____ (3) wir die Direktorin, dann _____ (4) wir die Ausstellung. Anschließend _____ (5) wir Material. Das Projekt und die Ausstellung _____ (6) Spaß, aber wir _____ (7) auch viel.

c Communication everywhere! Write a short story in the simple past.

1  auf dem Schulweg / im Bus / telefonieren

Auf dem Schulweg
telefonierte ich im Bus.

4  in Mathe / Leon / etwas / mir / ins Ohr / flüstern

_____
_____

2  in der Schule / 10 SMS / schicken

_____
_____

5  am Nachmittag / eine LAN-Party / machen

_____
_____

3 in der Pause / den Freunden / ein Video / zeigen

_____
_____

6  am Abend / mein Vater / viel / reden / mit mir

_____
_____

6 Unsere Partnerschule in Frankreich

a Read the information about the partnership. Complete the sentences.

Aktuelles	Unterricht	Projekte

Schulpartnerschaft mit Cherbourg

Schon seit fünfzehn Jahren hat unsere Schule Kontakt mit dem französischen Gymnasium in Cherbourg. Den Anfang machten zwei engagierte Französischlehrerinnen, die einen Austausch mit den Deutschlehrerinnen in Cherbourg starteten. Vor zehn Jahren ist daraus eine Schulpartnerschaft geworden, die auch zwischen den Schülern enge Kontakte unterstützt.

Einmal pro Jahr fährt eine Gruppe von 15 Schülern zu Gastfamilien im anderen Land und bekommt später von den Gastschülern Besuch. Bei diesen Aufenthalten besuchen die Schüler den Unterricht an der anderen Schule, wohnen in einer Familie und haben nachmittags und am Wochenende ein Kultur- und Freizeitprogramm.

Unsere Schüler sind begeistert und das Programm motiviert sie beim Französischlernen. Bei der Auswahl der Schüler, die mitfahren dürfen, zählen die Noten in allen Fächern. Die Schüler müssen gute Noten haben, denn sie fehlen zwei Wochen im Unterricht.

Archiv

Kommentare

Kontakt

1. Den Kontakt zwischen den beiden Schulen gibt es schon *seit* _____

2. Zuerst war es ein Austausch zwischen _____

3. Die Schulpartnerschaft existiert _____

4. 15 Schüler fahren _____

5. Zum Programm gehört neben der Teilnahme am Unterricht auch, dass _____
   _____
   _____

6. Die Schüler lernen gern Französisch, weil _____

7. Nach Frankreich fahren nur die Schüler, die _____

b Super polite and polite. Which sentences and expressions have the same meaning? Connect.

1. Sehr geehrter Herr Reinhold,
2. verzeihen Sie mir bitte, dass ich mich an Sie wende.
3. Ich habe heute von dem fantastischen Programm erfahren.
4. Das bedeutet für Sie eventuell viel Mühe.
5. Dennoch wäre ich mehr als dankbar, wenn …
6. Für Ihre Antwort bin ich Ihnen sehr verbunden.
7. Hochachtungsvoll

A Vielen Dank für Ihre Antwort.
B Trotzdem würde ich mich sehr freuen, wenn …
C Mit freundlichen Grüßen
D Lieber Herr Reinhold,
E Ich habe heute etwas über das Programm gehört.
F bitte entschuldigen Sie, dass ich frage.
G Das ist vielleicht viel Arbeit für Sie.

c **Madame Ribot responds to Keiko. Sort the excerpts and write the letter in your notebook.**

~~C Liebe Keiko,~~

G Viele Grüße aus Cherbourg

F wenn du mir ein Foto und einen Steckbrief von dir schicken könntest.

J Leider kann ich dir noch nicht zusagen,

D Dann kann ich schneller jemanden für dich finden.

E Natalie Ribot

I denn ich muss erst eine passende Partnerin für dich finden.

H vielen Dank für deine Mail und dein Interesse an unserer Partnerschaft.

B Ich freue mich, dass du dabei sein möchtest.

A Es wäre toll,

1. _C_   2. ____   3. ____   4. ____   5. ____   6. ____   7. ____   8. ____   9. ____   10. ____

Liebe Keiko,

7 Chat mit der französischen Partnerin

a **Which sentences fit where? Match and find the correct order.**

~~Hey Leni,~~ • Ich bin gerade vom Schüleraustausch zurückgekommen. • lg • Liebe Carola, • Um eins? • Das war echt lustig. • Morgen treffen? • ich habe schon lange nichts von dir gehört. • Alles klaro bei dir? • lange nichts gehört! • Komme gerade vom Austausch. • lol • Hast du Lust, dass wir uns morgen treffen? • Ich kann um eins, und du? • Liebe Grüße • Wie geht es dir?

SMS an eine Freundin	Mail an eine Verwandte
Hey Leni, ①	

b **What does that mean? Mark the correct answer.**

1. Alles klaro? [A] Wie geht es dir?   [B] Ist das richtig?   [C] Bist du fertig?

2. lol [A] Das ist lieb.   [B] Oh, das ist doof.   [C] Das ist lustig!

3. OMG [A] Ohne mich, girls!   [B] Ich bin glücklich.   [C] Oh mein Gott!

4. asap [A] so bald wie möglich   [B] so kurz wie möglich   [C] Ich muss jetzt los.

5. knuddel [A] Ich vermisse dich.   [B] Ich umarme dich.   [C] Ich rufe dich an.

c **Read the four chat excerpts. What is the topic? Match.**

Schule _____   Eltern _____   Kleidung _____   Party _____

A

Wie steht's?

Alles wie immer.

Keine Probleme wg. Samstag?

Nö. Sie sind weg ☺ – und ich hab frei.

8-o Cool!

Komm doch zu mir!

Noch cooler!

B

War gestern in der Stadt.

Und?

☹ zu wenig Geld.

?

Tolle Sachen! Nix gekauft. *heul*

Kopf hoch! Bist auch so immer schick!

C

☹ So ein Mist.

Wasislos?

Hab das ganze Wochenende gelernt …

Und?

Heute Test geschrieben.

Und?

ächz war echt schwer.

Sei nicht traurig. Knuddel!

D

Am Samstag geht's los!

Was denn?

Na, Svens großer Tag.

Ach ja! ☺ Bin nicht eingeladen.

Klaro bist du eingeladen – die ganze 9c kommt.

Echt?

Wird sicher voll … und laut! ☺

lol!

8 Viele Konsonanten

2.28

a **Listen to the words. What goes together? Connect the word-halves.**

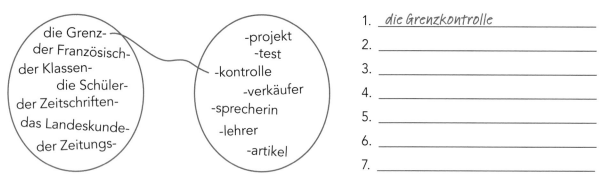

die Grenz-
der Französisch-
der Klassen-
die Schüler-
der Zeitschriften-
das Landeskunde-
der Zeitungs-

-projekt
-test
-kontrolle
-verkäufer
-sprecherin
-lehrer
-artikel

1. _die Grenzkontrolle_____
2. _____
3. _____
4. _____
5. _____
6. _____
7. _____

b **Listen to the words one more time and speak along.**

9 Der HDL-Song von Jasper

Choose three songs that you like or don't like. Write a short comment about each song in your notebook. Also use abbreviations and symbols.

> OMG! Der neue Song von Jasper ist echt lustig ☺

10 Abkürzungen

What do these abbreviations mean? Match.

1. usw. _____
2. z.B. _____
3. ca. _____

4. s. o. _____
5. MfG _____
6. v. a. _____

> Mit freundlichen Grüßen •
> und so weiter • siehe oben •
> vor allem • circa •
> zum Beispiel

Wörter – Wörter – Wörter

11 Gesucht: Wörter
Find nine words from the chapter. Write them with their articles.

A	B	R	U	S	I	C	O	M	P	U	T	E	R
Z	A	U	B	E	R	S	T	I	F	T	Ö	N	P
E	S	C	H	L	Ü	K	X	I	M	P	O	W	E
L	H	K	L	E	T	T	E	R	B	A	U	M	T
T	I	S	S	U	H	L	F	Ä	H	H	B	A	B
P	L	A	T	T	E	N	S	P	I	E	L	E	R
L	F	C	H	Ü	R	H	P	G	F	F	O	R	Y
O	E	K	O	C	H	E	R	N	F	T	S	K	L

1. _die Hilfe_
2. _____
3. _____
4. _____
5. _____
6. _____
7. _____
8. _____
9. _____

12 Projektarbeit im Grenzstreifen

a What are the words? What is the solution?

1. Bei einem Schulprojekt müssen die Schüler viel selbst …   O R G A N I S I E R E N

2. Normalerweise leben Tiere nicht im Zoo, sondern frei in der …   _ _ _ _ _ _

3. Wo man Bilder und Informationen für viele Leute präsentiert: _ _ _ _ _ _ _ _ _ _ _ _

4. Man muss seinen Ausweis zeigen.   _ _ _ _ _ _ _

5. „HDL", „z. B." und „asap" sind …   _ _ _ _ _ _ _ _ _

6. Das Nachbarland von Deutschland, in dem die Stadt Plzeň liegt: _ _ _ _ _ _ _ _

Lösungswort: Zwischen zwei Ländern gibt es eine _____

b What fits together? Write the expressions in your notebook.

eine Ausstellung   Kontakt
die Gäste   eine Prüfung
Ergebnisse   einen Tisch
die Ausrüstung   Informationen

checken   dekorieren
sammeln
eröffnen   schaffen
präsentieren   begrüßen
herstellen

eine Prüfung schaffen, …

13 Rund um den Schüleraustausch
Letter salad. How should the words be?

1. PARTSCHAFTNER – die _Partnerschaft_   3. FENTREF – das _____

2. MIALPRATERNIN – die _____   4. AASTUUCSH – der _____

14 Meine Wörter
Which words, expressions and sentences are important to you? Write them down.

_____

Geschichte(n)

1 Bilder erzählen Geschichten.

a Which verb fits? Fill in.

> arbeitete • dauerte • entstand • ~~erzählte~~ • gab • gewann • kam •
> kombinierte • spielte • sprachen • war • weinten • wurde

1. Der Film „Der große Eisenbahnraub" _erzählte_ eine Geschichte. Er _____ 1903 und war sehr kurz: Er _____ nur 11 Minuten.

2. Die frühen Filme hatten keinen Ton. Die Schauspieler _____ zwar, aber man hörte sie nicht. Ein Musiker _____ im Kino Klavier.

3. Micky Maus _____ 1928 auf die Welt. Der Erfinder Walt Disney _____ Micky Maus auch seine Stimme. Micky Maus _____ schnell in der ganzen Welt berühmt – und ist es bis heute.

4. Marilyn Monroe _____ in den 50er-Jahren ein Star. Sie _____ mit vielen bekannten Schauspielern zusammen.

5. Der Film „Titanic" _____ 1998 elf Oscars. Die Geschichte war sehr traurig, deshalb _____ viele Zuschauer im Kino.

6. „Avatar" _____ echte Schauspieler und Animation am Computer.

b The actress Kate Winslet. Write sentences in the simple past.

1. Kate Winslet / 1975 / in England / geboren / werden / .
   Kate Winslet wurde 1975 in England geboren.

2. mit 11 Jahren / sie / auf eine Schauspielschule / gehen / .

3. sie / in vielen Fernsehfilmen / spielen / .

4. 1998 / der Film „Titanic" / in die Kinos / kommen / .

5. 350 Millionen Menschen / den Film / im Kino / sehen / .

6. Aber / sie / erst 2009 / einen Oscar / gewinnen / .

2 Das hat mir einmal gefallen …

a What do Luca and Fabian say in the interview? Mark: true or false?

2.29

	richtig	falsch
1. Luca hat alle „Wilden Kerle"-Filme gesehen, weil für ihn Fußball sehr wichtig war.	☐	☒
2. Luca sagt, dass er Marlon am besten fand.	☐	☐
3. Er möchte die Filme noch einmal ansehen, weil Vanessa so cool war.	☐	☐
4. Fabian hat „Die Wilden Kerle" jetzt noch einmal angesehen.	☐	☐
5. Er war nicht nur ein Fan von Leon, sondern auch von Trainer Willi.	☐	☐
6. Die Filme von früher sind Fabian immer noch wichtig.	☐	☐

b Orally or in writing? Fill in the verb in the present perfect tense or simple past.

1. „Am Wochenende ___*habe*___ ich mir ein paar Kinder-DVDs von früher ___*angesehen*___. Krass!"
(ansehen)   2. „Ich glaube, ich _____ noch nie so viel wie in *Titanic* _____!"
(weinen)   3. Die Schauspielerin Marilyn Monroe wurde schon früh zum Mythos. Sie _____
in Klassikern wie „Manche mögen's heiß" _____. (spielen)   4. „Cool! In *Atavar* _____
die Filmemacher echte Schauspieler und Animation _____!" (kombinieren)   5. Beim
18. Berliner Filmfestival _____ Wilson Gonzalez Ochsenknecht seinen begeisterten Fans
Autogramme _____ (geben).   6. Die Filme mit Micky Maus wurden ein Welterfolg. Nicht nur
Kinder _____ die kleine Comicfigur toll _____. (finden)

c What did you think was great and why? Write in your notebook.

*Ich war ein Riesenfan von „Die Simpsons". Ich wollte immer wie Lisa sein. Wenn die
Serie im Fernsehen kam, …*

3 Karriere eines Kinderstars

a What is correct? Mark.

1. Ein Schauspieler	☒ spielt im Film oder im Theater.
	Ⓑ besucht eine Kunstschule.
2. Ein Kinderstar	Ⓐ ist bei Kindern sehr berühmt und beliebt.
	Ⓑ ist eine Person, die schon als Kind ein Star ist.
3. Die „Wilden Kerle"	Ⓐ ist eine Serie von Filmen über eine Clique.
	Ⓑ ist der Name für junge Fußballspieler.
4. Eine Kunstschule	Ⓐ ist eine Gruppe von bekannten Künstlern.
	Ⓑ ist eine Schule, auf der man Kunst lernen kann.
5. Ein Regisseur	Ⓐ sagt den Schauspielern, wie sie spielen sollen.
	Ⓑ produziert bei einem Film die Musik.

b Put the text about Emma Watson in the correct order.

A 1995 trennten sich die Eltern. Emma und ihr jüngerer Bruder Alex zogen mit der Mutter nach Oxford, wo sie bis heute leben. Ihr Vater ging nach London.

B Emma Watson wurde 1990 in Paris geboren. Fünf Jahre lang lebte sie mit ihren Eltern in Paris. Dann zog die Familie nach England. Emma Watsons Eltern sind Rechtsanwälte.

C Im wirklichen Leben war Emma Watson eine genauso gute Schülerin wie Hermine auf Harry Potters Zauberschule Hogwarts. Sie hatte sehr gute Noten und begann 2009 an der Brown University in den USA Literatur zu studieren.

D In der Dragon School in Oxford sammelte sie erste Erfahrungen als Schauspielerin, denn sie spielte im Schultheater und hatte dort viel Erfolg. Deswegen schickte ihr Theaterlehrer sie im Jahr 2000 zu einem Casting.

E Zu diesem Casting kamen 4000 Mädchen, alle ca. 10 Jahre alt. Emma Watson bekam die Rolle. Seitdem ist sie welt-berühmt. Sie spielte Hermine Granger in den *Harry Potter-*Filmen, die zwischen 2001 und 2009 entstanden.

1.	2.	3.	4.	5.
B				

c When was that? Write sentences with *als*.

1. Emma Watson war fünf Jahre alt.
   _Als Emma Watson fünf Jahre alt war,_____
   zog ihre Familie nach England.

2. Sie ging in die Dragon School.
   _____
   spielte sie im Schultheater.

3. Es gab ein großes Casting.
   _____
   meldete ihr Lehrer sie an.

4. Der erste „Harry Potter"-Film erschien.
   _____
   wurde Emma Watson sehr bekannt.

5. Alle „Harry Potter"-Filme waren fertig.
   _____
   begann sie, an der Universität Literatur zu studieren.

d Write the verbs in the simple past.

1. Ines spielt gern Theater. _spielte_____
2. Sie beginnt zu singen. _____
3. Die erste CD entsteht. _____
4. Sie heißt „Anfang". _____
5. Die CD wird kein Erfolg. _____

6. Kerim trifft seine Clique. _traf_____
7. Sie hören Musik. _____
8. Sie gehen ins Kino. _____
9. Sie sehen „Avatar". _____
10. Sie finden den Film gut. _____

4 Wer bin ich?

a Is the person like this or that? Make pairs.

> eine Frau • E-Gitarre spielen • blonde Haare • ~~eine Filmfigur~~ • alt • ein Popstar

1. eine echte Person – *eine Filmfigur*
2. ein Mann – _____
3. schwarze Haare – _____

4. jung – _____
5. ein Filmstar – _____
6. Basketball spielen – _____

b Choose one of the options from each pair. Write six yes/no-questions.

1. *Bin ich eine echte Person?*
2. _____
3. _____

4. _____
5. _____
6. _____

5 So ein Tag aber auch!

a How was Kolja's day? Fill in the verbs in the simple past.

> gehen • haben • kommen • lernen • müssen • müssen •
> sagen • ~~sein~~ • wollen • wollen •

Der ganze Tag *war* (1) blöd. Alles _____ (2) schief.

Kolja _____ (3) mit seinen Freunden an den See gehen, schwimmen und ein Picknick

machen. Aber sein Vater _____ (4) Nein.

Kolja _____ (5) zuerst für die Tests in der Schule lernen.

Also _____ (6) er den ganzen Vormittag.

Dann _____ (7) er das Picknick vorbereiten. Er schnitt

sich in den Finger und _____ (8) zum Arzt gehen. Als er

vom Arzt _____ (9), war das Picknick vorbei.

Kolja _____ (10) wirklich Pech an diesem Tag.

b Keiko and Pia are talking about the picnic. Put the sentences in order.

2.30

_____ A Pia denkt, dass irgendwas an Koljas Geschichte komisch ist.

_____ B Keiko sagt, dass alle Prüfungen haben und viel lernen müssen.

___1___ C Keiko fragt Pia, warum sie nicht zum See gekommen ist.

_____ D Pia hat mit Paul für eine Prüfung in Mathe gelernt.

_____ E Pia glaubt, dass Kolja auch am See war.

_____ F Pia erfährt, dass die Freunde gegrillt und leckere Sachen

gegessen haben.

c Complete the sentences.

1. „Warum bist du nicht zum See gekommen?"

   Keiko fragt Pia, _warum sie nicht zu See gekommen ist._

2. „Ich habe mit Paul Mathe gelernt."

   Pia sagt, _____

3. „Wie war dein Tag am See?"

   Pia fragt Keiko, _____

4. „Wir sind geschwommen und haben gegrillt."

   Keiko erzählt, _____

5. „Ich musste zum Arzt."

   Kolja hat abgesagt, _____

6. „Er hatte Streit mit seinem Vater."

   Keiko glaubt, _____

dass • ~~warum~~ • wie
dass • weil • dass

6 Die Geschichte von Klaus Störtebeker

a Fill in the words.

~~Denkmal~~ • gehört • Hafen • Hände • vergessen • Hose • bekommt • Pirat • Stein • zeigt

Mitten im Hamburger Hafen steht seit 1982 ein _Denkmal_ (1) auf einem _____ (2). Es ist ein einfacher Mann mit Bart. Er trägt nur eine _____ (3) und blickt über die Schulter. Die _____ (4) sind zusammengebunden. Das Denkmal _____ (5) Klaus Störtebeker. Klaus Störtebeker war ein _____ (6). Aber warum _____ (7) ein Pirat ein Denkmal? Er ist ein Held, den die Menschen nicht _____ (8) haben. Die Geschichte von Klaus Störtebeker _____ (9) zu Hamburg genauso wie der _____ (10), wo sein Denkmal steht.

b Where does the verb in the simple past go? Mark. Write the appropriate form.

besiegen • bringen • nehmen • schicken • suchen • ~~überfallen~~ • verlieren

1. Der Pirat Klaus Störtebeker _X_ mit seinen Männern ___ Schiffe ___.   _überfiel_
2. Die reichen Kaufleute ___ ihre Waren ___ und ___ ihre Schiffe ___.   _____
3. Sie ___ mit dem Bürgermeister ___ eine Lösung ___.   _____
4. Die Kaufleute ___ zwei große Schiffe ___ mit vielen Soldaten ___.   _____
5. Die Soldaten ___ Störtebeker ___ und seine Männer ___ im Kampf ___.   _____
6. Die Soldaten ___ die Piraten ___ als Gefangene ___ nach Hamburg.   _____

c How does the story of Störtebeker end? Put the excerpts in order.

_____ A Der Henker sollte allen Piraten den Kopf abschlagen.

_____ B Der Henker tötete schließlich alle 73 Männer, weil der Bürgermeister
sein Versprechen nicht hielt.

_____ C Klaus Störtebeker lief ohne Kopf an 11 Männern vorbei, dann stellte
ihm der Henker ein Bein.

_____ D Klaus Störtebeker wurde ein Held, weil er seine Männer retten
wollte. Deshalb gibt es in Hamburg ein Denkmal für ihn.

_1_ E Das Urteil gegen Klaus Störtebeker und seine Männer war schrecklich: „Alle müssen sterben."

_____ F Klaus Störtebeker war als Erster an der Reihe. Seine letzte Bitte war, dass jeder Pirat leben
darf, an dem er ohne seinen Kopf vorbeilaufen konnte, und der Bürgermeister versprach es.

d Write the sentences with _bis_. Pay attention to the simple past.

Die Familie zieht nach England.

1. Emma Watson lebte in Paris, _bis die Familie nach England zog._

Die Eltern trennen sich.

2. Ihrer Familie lebte zusammen, _____

Sie spielt Hermine im ersten „Harry Potter"-Film.

3. Emma Watson war nicht bekannt, _____

Der siebte Film ist fertig.

4. Sie blieb im „Harry Potter"-Team, _____

Sie spielt auch in anderen Filmen.

5. Sie war nur als Hermine bekannt, _____

7 Lange und kurze Vokale

2.31

a Long (_) or short (.) ? Mark the vowel length. Check with the CD.

1. sehen – sah – gesehen
2. treffen – traf – getroffen
3. schlafen – schlief – geschlafen

4. schwimmen – schwamm – geschwommen
5. nehmen – nahm – genommen
6. finden – fand – gefunden

2.32

b Long (_) or short (.) ? Listen and repeat.

1. verlieren – verlor – verloren
2. finden – fand – gefunden
3. stehen – stand – gestanden
4. bekommen – bekam – bekommen

Störtebeker und seine Männer verloren den Kampf.

Die Soldaten fanden das Schiff von Störtebeker.

Störtebeker stand als Erster in der Reihe.

Störtebeker bekam ein Denkmal.

8 Es ist anders gekommen.

a Put the story in order. Number the pictures.

A

B

C

D

  _1_

E

b Write the correct order (A-E) in the table. With which picture do the expressions fit? Match.

> auf einer Bank sitzen und schlafen • das Buch lesen • den Hund nicht mitnehmen dürfen • draußen warten müssen • zur Bibliothek gehen • ~~das Wetter herrlich sein~~ • allein in der Bibliothek ein Buch holen • mit einem Buch zurückkommen • alles ganz anders sein

1.	D	*das Wetter herrlich sein,*
2.		
3.		
4.		
5.		

c Write the story. Also think up an appropriate title.

Kurze Einleitung: _Vor ein paar Tagen passierte vor der Bibliothek eine komische Geschichte._

Was ist passiert? _Das Wetter war herrlich. Ein Mann ging mit seinem Hund_

_____

_____

Das Wichtigste: _____

_____

Kurzer Schluss: _____

Der Titel: _____

Wörter – Wörter – Wörter

9 Rund ums Kino

a This is what is needed in a movie. Form words and write them with their articles.

> dio • er • Fi • Film • Ge • gis • gur • Ka • Ki • ~~ler~~ • me • no • ra • Re •
> ~~Schau~~ • schau • schich • seur • ~~spie~~ • star • Stu • te • Zu

der Schauspieler _____ _____

_____ _____ _____

_____ _____ _____

b What fits? Mark.

1. „Der große Eisenbahnraub" ☐ erzählte ☐ sprach zum ersten Mal eine Geschichte.

2. „Titanic" war sehr erfolgreich. Der Film ☐ gewann ☐ entstand 11 Oscars.

3. Die Geschichte war traurig. Viele Zuschauer ☐ lachten ☐ weinten im Kino.

4. Teile von „Avatar" ☐ entstanden ☐ spielten am Computer, andere im Studio.

5. Micky Maus ist ☐ eine Filmfigur ☐ ein Schauspieler von Walt Disney.

6. In „Nosferatu" kann man ☐ die Schauspieler ☐ die Filmmusik   nicht hören.

10 Die Welt von Klaus Störtebeker

a What does not fit? Cross out.

1. Piraten:	fahren auf dem Meer	überfallen Schiffe	~~bezahlen Soldaten~~
2. Kaufleute:	überfallen den Hafen	schicken Schiffe	verkaufen Waren
3. Soldaten:	kämpfen mit Piraten	verteilen Geld	bringen Gefangene
4. Richter:	bekommen ein Denkmal	sehen Gefangene	sprechen ein Urteil

b Find 13 words from the Störtebeker story. Write the nouns with their articles.

AFJKBÜRGERMEISTERQWOPÜKAPITÄNNKTOSEEMANNBGHLOTULURTEILBVCXALRETTENRTSUS
VERSPRECHENWENKAWERSHSCHRECKLICHPLABUHELDZSWSLAUFENPILPJSDENKMALWEIG
GEFANGENEKLWIKUMANNSCHAFTÜBYKLHAFENIPÜX

der Bürgermeister, _____

_____

_____

11 Meine Wörter
Which words, expressions and sentences are important to you? Write them down.

_____

8

So ist das bei uns.

1 Pias Pizzaabend

Find ten terms on the topic of *Einladung* in the word chain. Put them on a word web. Some of them fit with more than one.

PUDIEERSTEKISUMITBRINGENTVALKAUFENELPPÜNKTLICHTIKUEINSCHENKEN
ULZEIGENHULBÜBERRASCHTOORANBIETENUPAUSPACKENUCHDERLETZTEYLI

die Erste

sein

ein Geschenk

ein Getränk

2 Wie ist das in Deutschland?

a What is it like in Germany vs. Japan? Match the sentences and countries.

1.
Wenn man zu einer Party eingeladen ist, muss man nicht ganz pünktlich sein. Man kann auch zehn Minuten später kommen.

2.
Wenn man bei einer Party etwas trinken möchte, schenkt man den anderen Gästen etwas ein. Die anderen wissen dann, dass man etwas trinken möchte, und schenken auch etwas ein.

3.
Man zieht die Schuhe aus, auch bei einer Party. Das ist bei jeder Familie gleich.

4.
Bei einer Party stehen die Getränke meistens auf dem Tisch und jeder kann sich etwas nehmen und einschenken.

5.
Wenn man ein Geschenk bekommt, packt man es am besten sofort aus und bedankt sich.

6.
Wenn man ein Geschenk bekommt, bedankt man sich und legt es weg. Wenn die Gäste gegangen sind, kann man es auspacken.

8.
Bei manchen Familien kann man die Schuhe anlassen, bei anderen nicht. Wenn man nicht sicher ist, fragt man: „Soll ich die Schuhe ausziehen?"

7.
Wenn man zu einer Party eingeladen ist, kommt man am besten ganz pünktlich.

b Fill in the verbs in the correct form.

mitbringen • brauchen • anlassen • auspacken • putzen • einschenken

1. Oh, du hast ein Geschenk _mitgebracht_! Das ist aber nett, danke!
2. Kann ich meine Schuhe _____ oder soll ich sie ausziehen?
3. Entschuldige bitte. Ich muss mir kurz die Nase _____.
   Ich habe eine Erkältung.
4. Kannst du mir helfen? Ich habe ein Problem und _____
   deinen Rat.
5. Warum _____ du deine Geschenke nicht _____?
6. Darf man sich in Japan die Getränke nicht selbst _____? –
   Nein, das ist unhöflich.

3 **Tipps für Einladungen**
An exchange student has received an invitation to a birthday party. What should he/she do, what not? Write suggestions in the speech bubbles. There are multiple possibilities. Make up some more.

ganz pünktlich sein • nett zu den anderen Gästen sein • gute Laune mitbringen • schon vorher etwas essen • Blumen kaufen • etwas zu essen/trinken mitbringen • ein Geschenk mitbringen • einfach noch ein paar Freunde mitbringen • sich schön anziehen • als Letzter nach Hause gehen • zu den Eltern vom Geburtstagskind „du" sagen • …

1.
Du musst _nicht ganz_ _pünktlich sein._

2.
Sei nett _____ _____!

3.
Es wäre gut, wenn _____ _____

4.
Man muss _____ _____

5.
Es ist nicht nötig, _____ _____ _____

6.
Es ist normal, dass man _____ _____ _____

7.
Du solltest nicht _____ _____

8.
Du solltest _____ _____

9.
_____ _____

4 Eine bunte Schule

a Listen to the radio interviews. True or false? Mark.

2.33

	richtig	falsch
1. Bei J. J. zu Hause gibt es immer etwas Warmes zu essen.	X	☐
2. Die Deutschen essen abends nicht so oft warmes Essen.	☐	☐
3. Nadire hat am Wochenende mehr Zeit für sich selbst als deutsche Mädchen.	☐	☐
4. Nadires deutsche Freundin hat keine Verwandten.	☐	☐
5. Michael denkt, in nigerianischen Familien ist Musik und Tanzen wichtiger als in deutschen Familien.	☐	☐
6. Auf deutschen Partys tanzt niemand. Alle sitzen nur rum.	☐	☐

b What goes together? Connect the main and dependent clauses and choose the appropriate verb.

1. Das Emil-Krause-Gymnasium ist eine deutsche Schule,

2. Nadire freut sich nicht so auf die Wochenenden,

3. Viele Deutsche essen abends kein warmes Essen,

4. Nadires Freundin hätte gerne so viel Besuch wie Nadire,

5. In vielen deutschen Familien ist Musik nicht so wichtig,

6. Michael findet, dass nigerianische Mädchen am besten tanzen,

obwohl es viele leckere Gerichte

obwohl deutsche Jugendliche gern Musik

obwohl deutsche Mädchen auch ganz gut

obwohl dort Schüler aus 30 Ländern

obwohl man dann auch viel vorbereiten

obwohl sie dann immer viel Besuch

tanzen.

lernen.

muss.

bekommt.

gibt.

hören.

c *Obwohl* or *weil*? Highlight the correct word.

1. J. J. tun seine deutschen Freunde leid, weil / obwohl sie am Abend selten warm essen.

2. Nadire freut sich nicht auf Besuche, weil / obwohl sie ihre Verwandten gerne mag.

3. Viele deutsche Jungen tanzen nicht gern, weil / obwohl Musik sehr wichtig für sie ist.

4. Nie hat Nadire am Wochenende ihre Ruhe, weil / obwohl sie immer backen und aufräumen muss.

5. Viele philippinische Familien haben einen Löffel und eine Gabel an der Wand, weil / obwohl das Essen sehr wichtig ist.

d Combine the sentences with *weil* or *obwohl*.

1. Dan hat im Spanischtest eine Fünf. Er hat die ganze Woche gelernt.

   Dan hat im Spanischtest eine Fünf, obwohl er die ganze Woche gelernt hat.

2. Lisa geht auf die internationale Schule. Sie kann dort viele Sprachen lernen.

3. Janine hört gern spanische Musik. Sie versteht die Texte nicht.

4. Helena spricht schon sehr gut Deutsch. Sie lebt erst ein Jahr in Deutschland.

5. Martin lernt nicht gern Sprachen. Er bekommt oft schlechte Noten.

5 Sprachen in unserer Klasse

2.34

a Listen to the interview with Joel. Then fill in the sentences from the interview with words from the box. Not all the words fit.

1. ● Joel, du bist ein _____.
2. ○ Meine Muttersprache ist _____.
3. ○ Ich habe ziemlich schnell _____ gelernt.
4. ● Welche _____ sprichst du denn am liebsten?
5. ○ Ich muss noch viel _____.
6. ○ Ich will später beruflich viel _____ arbeiten.
7. ○ Die nächsten Sprachen sollen _____ sein.
8. ○ _____ und Chinesisch sind sehr wichtige Sprachen.
9. ● Ich wünsche Dir viel _____.

> Erfolg • Gastschüler • Spanisch • schwieriger • Sprachengenie • Französisch • Sätze • Sprache • trainieren • in Europa • üben • im Ausland • Deutsch • Japanisch • Glück • Portugiese • leicht • Arabisch

b Why is it like that? Write sentences with *weil* or *obwohl* about the information from 5a. Use the sentences from the box.

> Sehr viele Menschen sprechen Chinesisch. • ~~Er spricht viele Sprachen.~~ • Er möchte später perfekt Englisch sprechen. • Seine Eltern sind keine Deutschen. • Seine Mutter ist Spanierin. • Joel will sich beim Lernen nicht langweilen.

1. Joel ist ein _Sprachgenie, weil er viele Sprachen spricht._
2. Seine Muttersprache ist _____
3. Er hat ziemlich schnell _Deutsch gelernt,_ _____
4. Er muss noch viel _____
5. Die nächsten Sprachen sollen _____
6. Chinesisch ist eine wichtige Sprache, _____

6 Auf Zeitreise ins Mittelalter

a What is that? Fill in the words from the box.

die Burg • das Ritterturnier • der Dudelsack • der Schmuck • der Ritter • der Feuerspucker

1.

_____

2.

_____

3.

_____

4.

_____

5.

_____

6.

_____

 b What fits together? Match. Write six sentences in your notebook.

1. Mut
2. sich Gedanken
3. in Erfüllung   gehen
4. sich Mühe   stellen
5. Fragen   machen
6. die Erlaubnis   geben

Meine Freundin macht mir immer Mut.

c Rewrite the sentences with the verbs from the box.

~~erlauben~~ • sich erfüllen • nachdenken • sich bemühen • fragen

1. Meine Eltern geben mir sicher die Erlaubnis für die Reise.

   Meine Eltern erlauben mir die Reise sicher. _____

2. Wir stellen euch Fragen zum Thema Mittelalter.

   _____

3. Clemens macht sich Gedanken über Ritterturniere.

   _____

4. Mein Wunsch geht bestimmt nicht in Erfüllung.

   _____

5. Er gibt sich sehr viel Mühe, Dudelsack spielen zu lernen.

   _____

7 Historische Festivals

Where do the students find what they are looking for? Match. One advertisement doesn't fit.

1. Ein Freund von Philip braucht ein gutes Kostüm für den Mittelaltermarkt. Er hat nicht so viel Geld. ____

2. Sascha und Gerda wissen alles über Ritterspiele. Am liebsten möchten sie ihr Hobby später zum Beruf machen. ____

3. Birgits Freund hat bald Geburtstag. Sie will ihm ein Ticket für eine besondere Veranstaltung schenken. Er liebt Musik und Fantasy-Filme. ____

4. Marlis ist Mittelalterfan und sie spielt gern Theater. Sie sucht eine Theatergruppe. ____

5. Dragan will schon lange Feuerspucken lernen. ____

A Vom 12.–14. Mai

Mittelaltermarkt

in Braunschweig
auf dem Burgplatz

Am Samstag
ab 15 Uhr
Ritterspiele,
um 19 Uhr
mittelalter-
liche Musik
von der Band
„Corvus Corax"

B

Der Herr der Ringe
exklusiv im Gloria-Kino:

Das Orchester der Universität
spielt die **Filmmusik live** zu
allen 3 Filmen.

Wann? Fr., Sa. u. So., 20 Uhr.
Tickets ab sofort erhältlich!

C Akrobatikclub
„Die Gaukler e.V."
sucht neue Mitglieder!

Jonglieren, Einrad fahren,
Seiltanzen, Feuerspucken,
Stelzenlaufen und vieles
mehr – Interesse?

Ständig neue
Kurse!

gauklerev@mailmail.de

D

rittergieselher13 schrieb:

Hei Janina, nähst du auch Klamotten für
andere? Hab einen verrückten Freund, der
Hilfe braucht ☺.

nadelundfaden schrieb:

Na klar, ich schneidere auch auf Anfrage.
Brauche dringend Geld für mein Praktikum
in Italien! Was soll es denn sein?

E
■ **VÄTER DER JEDI**

Produktionsfirma
sucht Autoren
für neues Projekt im Bereich
Mittelalter-Fantasy-Games.

Schriftliche Bewerbungen
bitte an:

Games-and-more
Hauptstraße 83
69117 Heidelberg

F **Langweilig im Publikum?**

STADTTHEATER

Werden Sie Burgfräulein!
Entdecken Sie den Ritter in sich!

25 „Burgbewohner" für
Bühnenprojekt gesucht.
Haben Sie Schauspieltalent und
eine gute Stimme?

– Infos an der Kasse –

8 *st* und *sp*

 a Listen to the words and repeat.

2.35

1. ständig – Veranstaltung – verstehen – anstrengend
2. Angst – Festival – Kostüm – Instrument
3. Ritterspiele – Feuerspucker – Spaß – Spinner
4. Wespe – Inspiration

 b Listen to the sentences and repeat.

2.36

1. Schauspieler spielen manchmal Spinner.
2. Ich habe Angst vor Wespen und Feuerspuckern.
3. Ein Instrument zu spielen ist anstrengend.
4. Festivals und Ritterspiele machen Spaß.
5. Ich brauche ständig Inspiration für meine Kostüme.

9 Meine Szene

What fits with which scene? Match.

~~coole Musik~~ • Manga • keine Milchprodukte • Kostüm präsentieren • aus Japan •
chillen • Shampoo selbst machen • üben • sich verkleiden • Schuhe nicht aus Leder •
übers Geländer springen • Demonstration für Tiere • sich schminken • kein Fisch • Skateboards

1  2  3

coole Musik, _____   _____   _____

_____   _____   _____

_____   _____   _____

_____   _____   _____

10 Deine Szene

a Read the answers from an interview. Which keyword fits with which answer?

A Seit wann Interesse? _3_   C Typisch? _____   E Treffpunkte? _____

B Aktivitäten? _____   D Kleidung? _____   F Musik? _____

1. Es ist unwichtig, welche Hose von welcher Marke man trägt. Aber auf einer großen Party tragen Leute aus einer Gruppe manchmal die gleichen T-Shirts.
2. Eigentlich ist das egal. Jeder hört, was er mag. Aber die Musik darf nicht müde machen. Also langsame Musik hört man eher nicht beim Spielen.
3. Ich habe schon immer gern Computerspiele gespielt, aber ein LAN-Spieler bin ich erst seit drei Jahren.
4. Spielen, spielen, spielen. Dann natürlich am Computer basteln, sich über neue Spiele informieren und sich im Internet austauschen.
5. Alle Spieler interessieren sich für Computer und kennen sich mit der Technik gut aus. Und man gibt viel Geld für die technische Ausrüstung und so weiter aus.
6. Im Internet natürlich oder auf LAN-Partys zu Hause, bei Freunden oder auch auf großen, öffentlichen LAN-Partys.

 b Write down appropriate interview questions for the answers in 10a.

A Seit wann interessierst du dich für die LAN-Szene?

Wörter – Wörter – Wörter

11 Die Stimmung in der Szene
Complete the sentences with the words from the box.

> verkleiden • ~~Faszination~~ • Inspiration • Mut • erfüllt • Mühe • Atmosphäre • Sehnsucht

1. Meine Freunde wundern sich über meine _Faszination_ für das Mittelalter.   2. Beim Feuerspucken muss man _____ haben und sich _____ geben, dann kann man sich schnell verbessern.   3. Viele Menschen haben _____ nach Abenteuern.   4. Auf dem Mittelaltermarkt _____ sich der Wunsch nach einem einfachen Leben für einen Tag.
5. In Mangas findet man viel _____ für neue Kostüme.   6. Die _____ bei einer Convention ist super, weil sich viele Leute als Manga-Figuren _____.

12 Sprachen verwenden
What can you do when you speak a language? Find ten verbs.

L	U	M	P	E	O	I	G	A	S	S
A	N	T	W	O	R	T	E	N	C	P
U	E	R	K	L	Ä	R	E	N	F	R
K	R	U	O	P	T	I	S	O	L	E
F	S	I	N	G	E	N	K	R	I	C
R	L	A	H	E	I	S	Y	U	R	H
A	M	W	E	N	X	B	P	I	T	E
G	R	A	T	U	L	I	E	R	E	N
E	F	L	U	C	H	E	N	A	N	E
N	E	F	L	Ü	S	T	E	R	N	N

1. _skypen_
2. _____
3. _____
4. _____
5. _____
6. _____
7. _____
8. _____
9. _____
10. _____

13 Szenewörter
Which word segments belong together? Write the words with their articles.

Mittelalter   spucker   markt   Cosplayer   ~~Theater~~   Spray   party
~~festival~~   LAN   dose   Feuer   kostüm

1. _das Theaterfestival_
2. _____
3. _____
4. _____
5. _____
6. _____

14 Meine Wörter
Which words, expressions and sentences are important to you? Write them down.

_____

1 Schlösser und mehr: Berühmte Kulissen

a What do you think: In which countries were these movies partly filmed?

B

C

Deutschland • Österreich • Schweiz • Deutschland

A

D

A _____ B _____ C _____ D _____

b Read the blog entries and match them with the movies from 1a. Which words helped you find the correct movie? Highlight.

Home	Über mich	Galerie	Blog

Reise-Blog

1   Film ____

In Berlin unterwegs
veröffentlicht von NICOLA am 21.08.

Berlin hat ziemlich oft Besuch aus Hollywood, daher war's kein Problem, dort einige berühmte Filmschauplätze zu finden. Ich kannte den U-Bahnhof Friedrichstraße, den Alexanderplatz mit der Weltzeituhr und das Westin Grand Hotel schon aus einem tollen Agententhriller. Die Hauptperson ist ein Mann, der früher für die CIA gearbeitet hat. Aber er weiß nicht, wer er wirklich ist. Obwohl es gefährlich für ihn ist, will er die Wahrheit wissen. Tolle Story! Am U-Bahnhof Friedrichstraße spielten viele Actionszenen und auf dem Alexanderplatz traf der Agent eine andere Agentin. Es ist ein cooles Gefühl, „in echt" dort zu sein! Und dann den Film noch mal gucken …

Die Weltzeituhr auf dem „Alex"

2   Film ____

Auf einer Burg in Österreich
veröffentlicht von NICOLA am 11.05.

Auf der Burg Kreuzenstein – übrigens ganz in der Nähe von Wien – wurden schon echt viele Filme gedreht. Dort sieht auch alles aus wie im Mittelalter! Ein bekannter Film spielt hier oben: Zwei Ritter sollen eine junge Frau in ein weit entferntes Kloster bringen, weil sie wahrscheinlich eine Hexe ist. Kennt ihr den? Die erste Burg gab es hier schon ganz früh – irgendwann zwischen den Jahren 1100 und 1200. Später hat man an derselben Stelle eine neue Burg gebaut, die aber auch alt aussieht. Coole Sache! Von oben sieht man auch die Donau.

Burg Kreuzenstein – hier war ich!

3

Berge wie in Kaschmir
veröffentlicht von NICOLA am 05.02.

Film _____

Mit meinen Eltern im Skiurlaub! ☹ Ich dachte, es wird total langweilig. Hab' dann aber die Chance genutzt, ein paar interessante Drehorte zu besuchen. Es ist kaum zu glauben, aber in Gstaad und in Rougemont in den Schweizer Alpen wurde der Bollywoodfilm gedreht, in dem der Inder Raj Sharma Liebesgeschichten erzählt, die er selbst erlebt hat. Obwohl die meisten Bollywoodfilme in Indien spielen, sieht man in ihnen oft die Schweizer Berge. Ich habe gehört, dass viele Inder jetzt sogar extra deshalb in die Schweiz reisen! Ich selbst habe zwar keine Inder getroffen, aber den Film fand ich total schön – Ranbir Kapoor, der Raj spielt, übrigens auch ☺. Und den Drehort kann ich zum Skifahren sehr empfehlen!!

Indien in der Schweiz?

4

Im Osten Deutschlands
veröffentlicht von NICOLA am 07.01.

Film _____

Die Stadt Görlitz in Sachsen – sie liegt ganz im Osten von Deutschland, an der Grenze zu Polen – war der Drehort für die Romanverfilmung von Bernhard Schlinks internationalem Bestseller. Der Film spielt in den 50er-Jahren in Deutschland, also direkt nach dem Zweiten Weltkrieg. Er erzählt, wie zwischen einem 15-jährigen Schüler und einer 20 Jahre älteren Frau eine Liebesgeschichte entsteht. Krass, oder? Oft liest er ihr Geschichten vor. Erst viel später erfährt er, dass die Frau eine schreckliche Vergangenheit hat. Ich habe nach dem Film viel nachgedacht, sag' ich euch.
Die Stadt sieht im Film wie in den 50er-Jahren aus. Ich war in dem Haus, in dem viele Szenen gedreht wurden. Faszinierend!

Wie früher: die schöne Altstadt von Görlitz

c Read the comments from other readers. Which entry are they commenting on?

1. Ich finde diese Filme schrecklich! Sorry. Immer tanzen sie und alle, aber vor allem die Frauen, sind viel zu stark geschminkt! Und es geht immer um Liebe. Gähn! ☹   _3_
2. Als mich meine Freundin aus den USA besucht hat, wollte sie auch unbedingt ein Foto von sich unter der Weltzeituhr. ☺   ____
3. Da war ich auch schon mal. Traumhaft! Man fühlt sich wie vor mindestens 500 Jahren. Wie im Märchen!   ____
4. Den Film fand ich ganz okay. Aber das Buch ist einfach besser.   ____
5. Der Film ist wirklich spannend. Vor allem die Action am U-Bahnhof: Wahnsinn!   ____
6. Für mich war es seltsam, meine Heimatstadt und auch meine eigene Straße wie in der Zeit nach dem Krieg zu sehen.   ____
7. Shah Rukh Khan ist der beste Schauspieler Indiens. Schade, dass er hier nicht mitspielt ☹!   ____
8. Hier wurden übrigens auch noch andere Filme gedreht: „Die Säulen der Erde" und „Die Drei Musketiere". Diese Umgebung ist einfach toll für historische Filme.   ____

2 Drehorte in D–A–CH

 Choose a movie. Research the filming locations and write a short text about the movie and a filming location.

Der Name der Rose • In 80 Tagen um die Welt • Indiana Jones und der letzte Kreuzzug • James Bond: Ein Quantum Trost • Das Wunder von Bern

Der Film ... spielt unter anderem in ... in Österreich. Der Drehort liegt in ... / in der Nähe von ... Der Film handelt von ... Im Film sieht man ... und ...

Glossary

1 Was ist los?

Seite 6	ab|hängen*	Dirk hängt mit seinen Kumpels auf dem Marktplatz ab.	to hang out
	DVD-Abend, der, -e	Katrin macht mit ihren Freundinnen einen DVD-Abend.	movie night
	Geige, die, -n	David spielt jeden Tag ein paar Stunden Geige.	violin
	Jungs, die (Pl.)	Jungs, warum wollt ihr immer alles wissen?	guys
	Kumpel, der, -s	Nach der Schule trifft Dirk sich mit seinen Kumpels.	buddy
	Orchester, das, -	David spielt Geige im Orchester.	orchestra
	Probe, die, -n	Das Orchester hat jeden Mittwoch Probe.	rehearsal
	quatschen	Nina quatscht gern mit ihren Freundinnen im Café.	to chat (idly)
	Schwimmclub, der, -s	Nina ist Mitglied im Schwimmclub.	pool club
	sogar	Katrin geht gern ins Kino, sogar sehr gern.	in fact, even
	unterhalten* (sich) (über + Akk.)	Katrin unterhält sich mit ihren Freundinnen über alles.	to discuss
Seite 7	Skaterplatz, der, "-e	Wenn Dirk seine Freunde treffen will, fährt er zum Skaterplatz.	skate park
Seite 8	Beschreibung, die, -en	Welche Beschreibung trifft auf dich zu?	description
	empfehlen*	Welche Sehenswürdigkeit in deiner Stadt kannst du empfehlen?	to recommend
	Freizeittyp, der, -en	Welcher Freizeittyp bist du?	type of person who enjoys a particular leisure activity
	Stadttour, die, -en	Wenn mich meine Cousine besucht, machen wir eine Stadttour.	tour of the city
	Traumurlaub, der, -e	In meinem Traumurlaub fahre ich mit meiner Familie an den Strand.	dream vacation
	um|ziehen* (sich)	Ich ziehe mich für die Party um.	to change (clothes)
	unternehmen*	Ich unternehme viel mit meinen Freunden.	to undertake
	vorbei|kommen*	Kommst du morgen bei mir vorbei?	to drop by
	zu|treffen*	Dieser Freizeittyp trifft genau auf mich zu.	to be appropriate, to spot-on
Seite 9	Adrenalin, das (Sg.)	Ich gehe oft in den Klettergarten. Das ist echt Adrenalin pur!	adrenaline
	Album, das, Alben	Ich habe mir das neue Album von Anna F. gekauft.	album
	Angebot, das, -e	In der Zeitung findest du interessante Angebote für Praktika.	offer, sale
	attraktiv	Eintritt 7 Euro? Das ist wirklich ein attraktives Angebot!	attractive
	aus|probieren	Ich probiere gern neue Sachen aus.	to sample, to test
	Ausrüstung, die, -en	Ich leihe dir gern meine Ausrüstung zum Klettern.	gear, equipment
	Ausweiskontrolle, die, -n	Bei dem Konzert gibt es eine Ausweiskontrolle.	ID check
	Begleitung, die, -en	Kinder unter zwölf Jahren dürfen nur in Begleitung eines Erwachsenen am Kurs teilnehmen.	accompaniment
	Download, der, -s	Im Internet gibt es ein Formular zum Download.	download
	Elternteil, der, -e	Ein Elternteil muss unterschreiben, wenn du noch nicht 18 Jahre alt bist.	parent
	erforderlich	Beim Klettern ist sportliche Kleidung erforderlich.	necessary
	Ersatztermin, der, -e	Wenn es regnet, ist das Festival an einem Ersatztermin.	alternate date, rain date

Festival, das, -s	Das Festival mit Jugendbands ist draußen auf der Wiese.	festival
Grillplatz, der, "-e	Der Grillplatz ist im Sommer ein beliebter Treffpunkt.	grill pavilion
hin|bringen*	Du würdest gern in den Klettergarten fahren. Deine Eltern bringen dich hin.	to bring over (so. or sth.)
Höhe, die, -n	Gestern sind wir in 14 Meter Höhe geklettert.	elevation
House-Musik, die (Sg.)	Ich höre gern House-Musik.	house music
jeweils	Der Kurs beginnt jeweils um 9.00 Uhr.	every time
Jugendband, die, -s	Einige Jugendbands suchen neue Musiker.	youth band
Klettergarten, der, "-	Im Klettergarten kann man viel Spaß haben.	facility with a climbing wall
Klettersachen, die (Pl.)	Eigene Klettersachen sind für den Kurs nicht erforderlich.	climbing equipment
live	Bei einem Konzert kannst du die Sängerin live erleben.	live (as in a concert)
Mindestalter, das, -	Das Mindestalter für den Eintritt in den Club ist 14 Jahre.	minimum age
mit|spielen	Viele Jugendliche würden gern in einer Band mitspielen.	to play together
Musiker, der, -	Bei einem Konzert kannst du die Musikerin live sehen und hören.	musician
Open Air, das, -s	Bei einem Open Air spielen die Bands draußen.	open-air concert
pur	Klettern - das ist echt Adrenalin pur!	pure
Radio-DJ, der, -s	Dein Freund interessiert sich für den Beruf Radio-DJ.	radio DJ
Radiomacher, der, -	Ich möchte Radiomacher werden.	radio producer
R'n'B-Musik, die (Sg.)	Ich tanze gern zu R'n'B-Musik.	R&B music
Route, die, -n	Im Klettergarten werden verschiedene Routen angeboten.	route
Schülerausweis, der, -e	Wenn man einen Schülerausweis hat, kann man die Tickets billiger kaufen.	student ID
Ticket, das, -s	Die Tickets kosten im Vorverkauf 9 Euro.	ticket (for an event)
Tournee, die, -n	Die Band geht ab heute auf Tournee.	tour (as in a band)
unterschreiben*	Ein Elternteil muss das Formular unterschreiben, wenn du noch nicht 18 Jahre alt bist.	to sign (a name)
Voraussetzung, die, -en	Ein Mindestalter von 14 Jahren ist Voraussetzung für den Kurs.	requirement
Vorverkauf, der, "-e	Kauf die Tickets für das Open Air doch im Vorverkauf!	presale
Seite 10 hin|gehen*	Der Schwimmclub ist doof. Nochmal möchte ich da nicht hingehen.	to go over (somewhere)
Seite 11 **neugierig**	Keiko ist neugierig auf die Schule in Deutschland.	curious
überlegen (sich)	Ich muss mir noch überlegen, ob ich morgen mit ins Kino komme.	to consider
Seite 12 **Blatt**, das, "-er	Schreib das Wort auf ein Blatt Papier.	here: sheet
falten	Falte das Blatt in der Mitte.	to fold
gespannt	Die ganze Klasse wartet schon gespannt auf Keiko.	in suspense
in	Was ist gerade in bei euch?	in fashion
Katalog, der, -e	Nadja würde sich über einen Katalog mit japanischer Mode freuen.	catalog, magazine
Klassenlehrer, der, -	Die Klassenlehrerin freut sich auf die neue Schülerin.	schoolteacher
lieb	Liebe Keiko, wir freuen uns auf dich.	dear
Lieblings-, die	Wie heißt deine Lieblingsband?	favorite
Prospekt, der, -e	Keiko bringt Nadja einen Prospekt über japanische Mode mit.	flyer

R̲eise, die, -n	Gute Reise!	trip, voyage
tr̲äumen (von + Dat.)	Ich träume von einem Haus am Meer.	to dream
ụnbekannt	Eine unbekannte Person hat diesen Forumseintrag geschrieben.	unknown
vo̲r|lesen*	Lies den Text laut vor.	to read aloud
we̲iter|schreiben*	Warum hörst du auf? Schreib die Geschichte weiter.	to continue writing

2 Ich bin neu hier.

Seite 14 F̲orum, das, F̲oren	Keiko hat ins Forum geschrieben.	forum
Gạstschüler, der, -	Keiko ist eine Gastschülerin aus Japan.	exchange student
geschmạcklos	Einige Schüler glauben, dass Keiko geschmacklose Kleidung trägt.	tasteless
J̲-Pop, der (Sg.)	J-Pop ist Popmusik aus Japan.	J-Pop, Japanese pop
Karao̲ke, das (Sg.)	Karaoke singen ist in Japan total in.	karaoke
klạssisch	Meine Eltern hören oft klassische Musik.	classical
M̲ode-Tussi, die, -s	So eine Mode-Tussi!	fashionista
P̲opmusik, die (Sg.)	Anna liebt japanische Popmusik.	pop music
schlạnk	Die neue Mitschülerin ist sehr schlank.	slim
Schụluniform, die, -en	Geht man in deinem Land mit Schuluniform zur Schule?	school uniform
Seite 15 A̲usland, das (Sg.)	Ich gehe für ein Jahr ins Ausland.	foreign country
A̲ustausch, der, -e	Ich mache nächstes Jahr einen Austausch.	exchange
Ịnfotag, der, -e	Am Infotag erfährt man viel über den Austausch.	information day, open house
Seite 16 ạnders	Meine Schwester ist ganz anders als ich.	different
Ạnkunft, die (Sg.)	Bei meiner Ankunft am Flughafen haben mich alle gleichzeitig begrüßt.	arrival
blạss	Du bist aber blass!	pale
ble̲ich	Manuel ist ziemlich bleich.	pale
Blö̲dmann, der, "-er	Ramon ist echt ein Blödmann!	idiot
Blo̲g, der, -s	Manuel schreibt einen Eintrag in seinen Blog.	blog
Chụrro, der, -s	Churros isst man in Spanien zum Frühstück.	churro
e̲ben	Er versteht das nicht. Er ist eben ein Einzelkind.	here: just
e̲ifersüchtig	Meine Schwester ist oft eifersüchtig.	jealous
e̲in|cremen	Kannst du mich bitte mit Sonnenmilch eincremen?	to put some cream on
E̲inzelkind, das, -er	Alejandro hat keine Geschwister. Er ist ein Einzelkind.	only child
exo̲tisch	Die spanischen Mädchen finden Manuel exotisch.	exotic
fẹttig	Churros sind ziemlich fettig.	fatty
Gạstbruder, der, "-	Mein Gastbruder ist echt cool.	host brother
Gạsteltern, die (Pl.)	Meine Gasteltern sind wirklich super.	host parents
Gạstmutter, die, "-	Meine Gastmutter heißt Elsa.	host mother
Gạstvater, der, "-	Mit meinem Gastvater verstehe ich mich sehr gut.	host father
Gebä̲ck, das, -e	Ein Churro ist ein spanisches Gebäck.	pastry
gle̲ichzeitig	Wenn alle gleichzeitig reden, versteht man nichts.	simultaneously
Hạlbschwester, die, -n	Meine Halbschwester hat einen anderen Vater als ich.	half-sister
Hịtze, die (Sg.)	38 °C! Das ist eine Hitze!	heat
Ịnnenstadt, die, "-e	Manuel trifft seine Freunde in der Innenstadt.	downtown
je̲denfalls	Egal, was du machst. Ich gehe jedenfalls ins Kino.	anyway, nonetheless
norm̲al	38 °C sind in Spanien ganz normal.	normal
Sie̲sta, die, -s	In Spanien macht man mittags Siesta.	siesta, afternoon nap
S̲onnenmilch, die (Sg.)	Man sollte sich immer gut mit Sonnenmilch eincremen.	sunscreen
Streitere̲i, die, -en	Eure Streitereien sind echt nervig!	quarrel, fight

	super-	Du bist echt superlieb.	very
	unbedingt	Du musst unbedingt mal spanische Churros probieren.	absolutely, at all costs
	undeutlich	Meine Oma spricht sehr undeutlich.	unclear(ly)
	vergehen*	Im Urlaub vergeht die Zeit immer schnell.	to pass by
	vermissen	Ich vermisse meine Schwester.	to miss (so.)
	voll	Mein Bruder ist manchmal voll eifersüchtig.	very, totally
	wohl	Morgen beginnt die Schule. Wie das wohl wird?	*here:* indeed
	Zeile, die, -n	In Zeile 2 beschreibt Manuel seine Ankunft am Flughafen.	line (of text)
Seite 17	Halbbruder, der, "-	Mein Halbbruder hat eine andere Mutter als ich.	half-brother
	wen	Wen willst du am Wochenende besuchen?	whom
Seite 18	**an|bieten***	Die Schüler bieten Keiko ihre Hilfe an.	to offer
	dabei|haben*	Ich habe leider kein Geld dabei.	to have (sth.) on you
	Geldkarte, die, -n	In der Cafeteria kann man mit einer Geldkarte bezahlen.	cash card
Seite 19	**ändern**	Ich habe meine Meinung geändert.	to change, to alter
	ausgeflippt	Keiko trägt ausgeflippte Klamotten.	crazy, outlandish
	Schulkonzert, das, -e	Morgen ist das Schulkonzert.	school concert
Seite 20	**an|schauen**	Ich würde gern die Stadt anschauen.	to look at
	Austauschjahr, das, -e	Bald beginnt mein Austauschjahr.	exchange year, study abroad year
	reisen	Nächstes Jahr reise ich in die USA.	to travel
	Traumland, das, "-er	Argentinien ist mein Traumland.	dream country

3 Wohnwelten

Seite 22	Almhütte, die, -n	Die Almhütte liegt in den Bergen.	alpine hut
	Atmosphäre, die *(Sg.)*	Die Wohnung hat eine besondere Atmosphäre.	atmosphere
	Baumhaus, das, "-er	Wir bauen das Baumhaus in drei Metern Höhe.	treehouse
	Großraumwohnung, die, -en	Diese Großraumwohnung war früher eine Kirche.	open-plan apartment
	Hausboot, das, -e	Ich würde gern mal auf einem Hausboot schlafen.	houseboat
	Höhenangst, die *(Sg.)*	Komm ins Baumhaus oder hast du Höhenangst?	vertigo, fear of heights
Seite 23	**angenehm**	Im Haus ist es angenehm kühl.	pleasant(ly)
	außer	Im Baumhaus gibt es keine Nachbarn außer Vögel.	besides, other than
	Einfamilienhaus, das, "-er	Ich wohne mit meinen Eltern in einem Einfamilienhaus.	single-family home
	Großstadt, die, "-e	Meine Cousine lebt in der Großstadt.	big city
	herrlich	Das Leben in den Bergen ist herrlich.	wonderful, marvelous
	Hochhaus, das, "-er	Neben unserer Schule steht ein Hochhaus.	tall building, skyscraper
	Höhlenhaus, das, "-er	Höhlenhäuser sind oft sehr dunkel.	cave house
	Kuh, die, "-e	Die Kühe stehen auf der Wiese.	cow
	kühl	Draußen ist es heiß, aber hier ist es kühl.	cool
	Nachbardorf, das, "-er	Die Kinder besuchen den Kindergarten im Nachbardorf.	neighboring village
	Reihenhaus, das, "-er	In unserer Straße gibt es viele Reihenhäuser.	row house
	schaukeln	Das Hausboot schaukelt so schön.	to rock
	Stadtrand, der, "-er	Der Sportplatz liegt am Stadtrand.	city limit
	Strom, der *(Sg.)*	In einem Haus ohne Wasser und Strom möchte ich nicht wohnen.	electricity
	Wohnblock, der, "-e	Die Stadt baut einen neuen Wohnblock.	city block
	Wohnform, die, -en	Welche Wohnform magst du am liebsten?	type of living arrangement

Wunder, das, -	Vier Stück Kuchen? Kein Wunder, dass dir schlecht ist!	wonder
Zentrum, das, Zentren	Mein Onkel wohnt direkt im Zentrum.	city center
Seite 24 **alle**	Die Busse fahren nur alle vierzig Minuten.	every
allerdings	Ich nehme meistens den Bus. Der fährt allerdings nicht oft.	however
Amt, das, "-er	Das Amt ist heute nur bis 12 Uhr geöffnet.	office, department
Bewohner, der, -	Ein Hochhaus hat viele Bewohner.	inhabitant
Ecke, die, -n	Meine Schule liegt direkt um die Ecke.	corner
Einkaufszentrum, das, -zentren	Das neue Einkaufszentrum ist riesig.	shopping mall
Grundschule, die, -n	Meine kleine Schwester geht noch in die Grundschule.	elementary school
Karate, das (*Sg.*)	Ich mache Karate im Sportverein.	karate
Kiosk, der, -e	Meine Eltern kaufen die Zeitung immer am Kiosk.	kiosk, newsstand
Metzgerei, die, -en	Neben dem Bäcker liegt die Metzgerei.	butcher
Millionenstadt, die, "-e	Hamburg, München und Berlin sind deutsche Millionenstädte.	city of over a million inhabitants
nördlich	Meine Tante wohnt nördlich von Hamburg.	north of
nur noch	Abends fahren die Busse nur noch alle zwei Stunden.	*here:* instead only
Reitverein, der, -e	Ich bin im Reitverein.	equestrian club
Sportverein, der, -e	Mein Bruder spielt Fußball im Sportverein.	sports club
Stadtteil, der, -e	In welchem Stadtteil wohnst du?	neighborhood
Taxi, das, -s	Ich nehme manchmal ein Taxi, aber das ist teuer.	taxi, cab
Verkehr, der (*Sg.*)	In unserer Straße ist immer viel Verkehr.	traffic
verpassen	Gestern habe ich den Bus verpasst.	to miss (a bus, an appointment, etc.)
Vorort, der, -e	Meine Freundin wohnt in einem Vorort von Hamburg.	suburb
Seite 25 **Abgas**, das, -e	Ich würde gern in einem Ort wohnen, wo es weniger Abgase gibt.	exhaust fumes
Boot, das, -e	Ich segle gern mit dem Boot.	boat
Bürger, der, -	In Hamburg leben über eine Million Bürger.	citizen
Fahrer, der, -	Die Jugendlichen brauchen ihre Eltern als Fahrer.	driver
Freizeitmöglichkeit, die, -en	Unsere Stadt bietet viele Freizeitmöglichkeiten.	leisure opportunity
Kanal, der, "-e	Das Hausboot liegt auf dem Kanal.	canal
Million, die, -en	In Hamburg leben über eine Million Menschen.	million
Stau, der, -s	Wir haben gestern zwei Stunden im Stau gestanden.	traffic jam
Seite 26 **Ansicht**, die, -en	Ich bin anderer Ansicht als du.	opinion, outlook
Argument, das, -e	Sammelt ein paar Argumente für das Leben in der Stadt.	argument, rationale
besprechen*	Besprecht das Thema Wohnen in der Klasse.	to discuss
Diskussion, die, -en	Jeder sollte in der Diskussion etwas sagen.	discussion
Erste, der/die, -n	Wer spricht als Erster?	first
Unsinn, der (*Sg.*)	Das ist doch Unsinn!	nonsense
widersprechen*	Jan widerspricht seinem Freund.	to contradict
zustimmen	Anna stimmt ihrer Freundin zu.	to agree, to concur
Seite 27 **hinein**|**können***	Der Laden ist schon zu. Du kannst leider nicht hinein.	to be allowed in
irgend-	Irgendein Blödmann hat meinen Ausweis gestohlen!	some
irgendein, irgendeine	Alina will irgendein cooles Regal.	some kind of, any
irgendwann	Er hat seinen Schlüssel irgendwann vor ein paar Monaten verloren.	sometime

irgendwas	Er hat irgendwas gesagt, aber ich habe es nicht verstanden.	something
irgendwelche	Sie hängt irgendwelche Poster auf.	any
irgendwer	Irgendwer hat den Rucksack gestohlen.	someone
irgendwie	Irgendwie schaffe ich die Prüfung bestimmt.	somehow
irgendwo	Der Ausweis ist irgendwo im Zimmer.	somewhere
kontrollieren	Der Mann kontrolliert die Ausweise von den Jugendlichen.	to check, to verify
Schublade, die, -n	Mein Ausweis liegt in der Schublade.	drawer

Seite 28

Altenheim, das, -e	Meine Oma lebt im Altenheim.	retirement home
Baumarkt, der, "-e	Im Baumarkt kann man verschiedene Materialien kaufen.	hardware store
besprühen	Irgendwer besprüht die Wände mit Graffiti.	to spray over
dabei	Die Jugendlichen bauen Möbel und machen dabei Lärm.	thereby
dankbar	Die Jugendlichen sind den Senioren sehr dankbar.	thankful
Graffiti, die (Pl.)	Viele Menschen ärgern sich über Graffiti an Wänden.	graffiti
Hammer, der, -	Ein Hammer darf bei der Renovierung nicht fehlen!	hammer
hämmern	Die Jugendlichen hämmern den ganzen Tag Nägel ins Holz.	to hammer
Holz, das, "-er	Die jungen Leute haben das Holz selbst organisiert.	wood
Lärm, der (Sg.)	Die Handwerker machen ziemlich viel Lärm bei der Renovierung.	noise
Live-Musik, die (Sg.)	Auf der Party gibt es Live-Musik.	live music
Nagel, der, "-	Die Jugendlichen arbeiten mit Hammer und Nagel.	nail
nebenan	Nebenan feiern die Nachbarn eine Party.	next door
nun	Nun fehlt nur noch das Geld für das Material.	now
renovieren	Kolja und Pia renovieren das Jugendzentrum.	to renovate
Renovierung, die, -en	Die Renovierung war ganz schön anstrengend!	renovation
Senior, der, -en	Im Altenheim wohnen viele Senioren.	senior citizen
Sofa, das, -s	Kolja sitzt auf dem Sofa.	sofa
Sponsor, der, -en	Wir danken allen Sponsoren ganz herzlich für das Geld!	sponsor
statt|finden*	Im Juni findet eine große Party statt.	to take place
streichen*	Wir streichen die Wände mit Farbe.	*here:* to paint

4 Medien und Werbung

Seite 30

Abenteuerreise, die, -n	Die Abenteuerreise ist total spannend.	adventurous journey
Animation, die, -en	Ich finde die Animationen in diesem PC-Spiel toll.	animation
gegen (+ Akk.)	Im Computerspiel kämpft man gegen Monster.	against
kämpfen (gegen + Akk.)	In jedem Level muss man gegen ein anderes Monster kämpfen.	to fight
Kapitän, der, -e	Du bist der Kapitän eines Schiffs.	captain
Level, das, -s	Hast du schon alle Levels geschafft?	level
Monster, das, -	Monster gibt es nur im Computerspiel.	monster
nervös	Wenn ich lange Computer spiele, werde ich nervös.	nervous
Prinzessin, die, -nen	In diesem Level brauchst du die Hilfe der Prinzessin.	princess
Rakete, die, -n	Ich würde gerne mal mit einer Rakete fliegen.	rocket
strategisch	In diesem Spiel muss man strategisch denken.	strategical(ly)
weiter|kommen*	Ich will unbedingt ein Level weiterkommen!	to progress
Zauberer, der, -	Ein Zauberer hilft dir.	magician, wizard
Zauberin, die, -nen	Die Zauberin kann dich retten.	magician, wizard (f)

Seite 31	Animationsfilm, der, -e	Klaus spricht am liebsten in Animationsfilmen.	animated film
	Aufnahme, die, -en	Der Tontechniker kontrolliert die Aufnahme im Studio.	recording
	daraus	Film war sein Hobby, jetzt hat er daraus seinen Beruf gemacht.	out of it
	Geduld, die (Sg.)	Der Sprecher braucht viel Geduld bei der Arbeit.	patience
	gehen*	Im Studio muss es meistens schnell gehen.	to go, to proceed
	gesamt	Die gesamte Aufnahme ist ziemlich teuer.	entire
	klappen	Ich hoffe, es klappt.	to work out, to go smoothly
	mehrmals	Manchmal muss Klaus einen Text mehrmals sprechen.	several times
	Regisseur, der, -e	Der Regisseur ist für die Aufnahme zuständig.	movie director
	Sprecher, der, -	Klaus arbeitet schon lange als Sprecher im Studio.	narrator
	stressig	Mein Beruf ist ziemlich stressig.	stressful
	Studio, das, -s	Der Sprecher ist im Studio nicht allein.	studio
	Studiotechnik, die, -en	Peter muss die Studiotechnik vor jeder Aufnahme kontrollieren.	studio equipment
	Synchronsprecher, der, -	Als Synchronsprecher braucht man Talent.	dubber
	Tonstudio, das, -s	Die Arbeit im Tonstudio ist manchmal ziemlich anstrengend.	recording studio
	Tontechniker, der, -	Max macht eine Ausbildung zum Tontechniker.	recording engineer
	Werbetext, der, -e	Für Werbetexte bekommt Klaus viel Geld.	advertising slogan
	zuständig	Wer ist heute im Studio zuständig?	responsible, in charge
Seite 32	absolut	Ich finde das Spiel absolut super!	absolute(ly)
	Arbeitsspeicher, der, -	Das Spiel braucht viel Arbeitsspeicher.	computer memory, RAM
	bestimmen	Du bestimmst die Regeln.	to determine
	Betriebssystem, das, -e	Welches Betriebssystem hast du auf deinem Computer?	operating system
	ein|legen	Wenn du die CD eingelegt hast, beginnt das Spiel.	to insert (a CD)
	empfehlenswert	Das Spiel ist wirklich empfehlenswert.	recommendable
	Erfolg, der, -e	Viel Erfolg!	success
	Feature, das, -s	Das Spiel hat viele neue Features.	feature
	fremd	Möchtest du fremde Kontinente kennenlernen?	foreign, unknown
	garantieren	Das neue PC-Spiel garantiert viel Spaß.	to guarantee
	Grafik, die, -en	Die Grafik des Spiels ist echt super.	graphics
	Grafikkarte, die, -n	Für das Spiel braucht man eine gute Grafikkarte.	graphics card, video card
	her|stellen	Es ist toll, neue Kontakte herzustellen.	to forge, to create
	Installation, die, -en	Die Installation der CD ist ganz einfach.	installation
	los|gehen*	Du legst die CD ein und schon geht's los.	to begin, to start off
	Mischung, die, -en	Das Spiel ist eine gute Mischung aus Strategie und Abenteuer.	combination
	möglich	Es ist möglich, mit Freunden zu chatten.	possible
	Netbook, das, -s	Ich habe mir ein neues Netbook gekauft.	netbook
	PC-Spiel, das, -e	Welches PC-Spiel magst du am liebsten?	PC game
	Prozessor, der, -en	Welchen Prozessor brauche ich für das Programm?	computer processor
	registrieren (sich)	Für das Spiel muss man sich über das Internet registrieren.	to register
	Strategie, die, -n	Denk dir eine gute Strategie aus.	strategy
	Strategiespiel, das, -e	Ich bin ein großer Fan von Strategiespielen.	strategy game
	stundenlang	Es macht Spaß, stundenlang mit Freunden zu telefonieren.	for hours, hours long

Systemvoraussetzung, die, -en	Welche Systemvoraussetzungen sind für das Spiel erforderlich?	system requirement
vergleichbar	Kennst du ein vergleichbares Angebot?	comparable
Zeitschrift, die, -en	Ich lese gern Zeitschriften.	periodical
Seite 33 Button, der, -s	Du musst auf den Button klicken.	button (in software)
CD-Laufwerk, das, -e	Öffne das CD-Laufwerk.	CD tray
CD-ROM, die, -s	Leg die CD-ROM ein.	CD-ROM
Fenster, das, -	Öffne das Fenster am Computerbildschirm.	window (in software)
Festplatte, die, -n	Hast du noch genug Platz auf deiner Festplatte?	hard drive
Lösung, die, -en	Ich habe eine Lösung für dein Problem!	solution
Maus, die, "-e	Beweg die Maus am Computer.	mouse
Menü, das, -s	Öffne das Menü.	menu
Seite 34 auf keinen Fall	Kauf dein neues Handy auf keinen Fall im Internet!	by no means
Doppelte, das (Sg.)	60 Cent pro SMS? Das ist ja mehr als das Doppelte vom Normaltarif!	double
Drittel, das, -	Ich zahle nur ein Drittel von Peters Tarif.	third
extrem	Mein neues Handy war extrem billig.	extreme(ly)
Festnetz, das, -e	Ich zahle pro Minute nur 5 Cent vom Handy ins Festnetz.	network
Grundgebühr, die, -en	Ich zahle jeden Monat eine hohe Grundgebühr.	flat rate
Hälfte, die, -n	Das neue Angebot ist um die Hälfte billiger als das alte.	half
Handykauf, der, "-e	Beim Handykauf muss man echt aufpassen.	cell phone purchase
Handynetz, das, -e	Ein Anruf ins Handynetz kostet 10 Cent pro Minute.	cell network
innerhalb	Man kann den Vertrag innerhalb von zwei Wochen kündigen.	within
Kriminelle, der/die, -n	Viele Kriminelle nutzen das Internet.	criminal
Kunde, der, -n	Viele Kunden kaufen Handys im Internet.	customer
kündigen	Ich habe gestern meinen Vertrag gekündigt.	to terminate
mancher, manche	Manche Kunden lesen den Vertrag nicht richtig.	some
Normaltarif, der, -e	Was kostet der Normaltarif?	base charge
Schnäppchen, das, -	Ich habe heute ein tolles Schnäppchen gemacht!	bargain
Tarif, der, -e	Welchen Tarif hast du für dein Handy?	monthly charge, tariff
Telefonat, das, -e	Ein Telefonat kostet 70 Cent pro Minute.	phone call
Trick, der, -s	Viele Kriminelle benutzen einfache Tricks.	trick
umsonst	Das Handy ist umsonst.	free, complimentary
vergleichen* (mit + Dat.)	Hast du die beiden Angebote verglichen?	to compare
Vertrag, der, "-e	Du solltest diesen Vertrag nicht unterschreiben.	contract
Viertel, das, -	Der alte Tarif war um ein Viertel teurer als der neue.	fourth
Vorsicht, die (Sg.)	Vorsicht beim Handykauf im Internet!	caution
warnen (vor + Dat.)	Die Polizei warnt vor Tricks im Internet.	to warn
Seite 35 abschließen*	Mein Bruder hat einen neuen Handyvertrag abgeschlossen.	to sign, to conclude (a contract)
anzeigen	Kriminelle sollte man bei der Polizei anzeigen.	to report
beschweren (sich) (über + Akk. / bei + Dat.)	Pia beschwert sich über die teuren Tarife.	to complain
erst einmal	Erst einmal machst du deine Hausaufgaben, dann kannst du zum Schwimmen.	first of all
Handyvertrag, der, "-e	Pia möchte ihren Handyvertrag kündigen.	cell phone contract
Hotline, die, -s	Ich rufe die Hotline an.	hotline

Konto, das, Konten	Wie viel Geld ist noch auf dem Konto?	account
legal	Der Vertrag ist legal.	legal
noch mal	Die Mutter erklärt Pia noch mal, was sie sagen soll.	once again
überweisen*	Bitte überweisen Sie das Geld auf mein Konto.	to transfer (money)
üblich	Sind diese Preise üblich?	standard
unfair	Das ist echt unfair.	unfair
zurück|haben*	Die Kundin will ihr Geld zurückhaben.	to get back
zurück|schicken	Ich schicke Ihnen das Handy zurück.	to send back
zurück|überweisen*	Haben sie dir die Grundgebühr schon zurücküberwiesen?	to transfer back
zurück|wollen*	Ich will mein Geld sofort zurück.	to want back

Seite 36

ab|wechseln (sich)	In der Internetwerbung wechseln sich Kurztexte und Slogans ab.	to alternate
an|geben*	Gib im Text nur die wichtigen Punkte an.	*here:* to list
Audio-Spot, der, -s	Ich habe im Radio einen lustigen Audio-Spot gehört.	audio advertisement
auffällig	Diese Farbe ist ziemlich auffällig.	conspicuous
Aufforderung, die, -en	Das war keine Bitte, sondern eine Aufforderung.	order, command
Aufmerksamkeit, die (Sg.)	Werbung soll die Aufmerksamkeit der Kunden wecken.	attention
Aufteilung, die, -en	Die Aufteilung der Farben gefällt mir gut.	division, distribution
Design, das, -s	Das neue Design ist echt super.	design
Display, das, -s	Mein Handy hat ein großes Display.	display
Drehbuch, das, "-er	Wer hat das Drehbuch für den Film geschrieben?	screenplay
Emotion, die, -en	Ein TV-Spot sollte Emotionen wecken.	emotion
Geräusch, das, -e	Hast du das Geräusch gehört?	sound
Grafikprogramm, das, -e	Hat dein Computer ein Grafikprogramm?	graphics program
grafisch	Eine gute grafische Aufteilung ist typisch für Printwerbung.	graphic (adj.)
Internetwerbung, die (Sg.)	Internetwerbung ist gerade sehr modern.	online advertisement
Kurztext, der, -e	Schreib einen Kurztext.	summary
Printwerbung, die (Sg.)	Fotos sind in einer Printwerbung sehr wichtig.	print advertisement
Produkt, das, -e	Die Firma macht Werbung für ein neues Produkt.	product
Slogan, der, -s	Ein Slogan muss kurz und witzig sein.	slogan
TV-Spot, der, -s	Für einen TV-Spot braucht man Schauspieler.	TV advertisement
vor|kommen*	Der Name des Produkts muss im Text vorkommen.	to appear
wecken	Der neue Audio-Spot weckt das Interesse der Kunden.	to awake
Werbespruch, der, "-e	Denk dir einen Werbespruch für ein neues Produkt aus.	advertising slogan

Seite 37

starten	Starte das Computerspiel.	to start

5 Das ist mir wichtig.

Seite 42

beruflich	Janina möchte beruflichen Erfolg haben.	professional
Fabrik, die, -en	Die Fabrik für Kleidung ist riesig.	factory
Faden, der, "-	Zum Nähen braucht man Nadel und Faden.	thread
gering	Der Lohn meiner Eltern ist sehr gering.	small, modest
Globalisierung, die (Sg.)	Die niedrigen Preise sind ein Grund für die Globalisierung.	globalization
illegal	Wenn man illegal in einem Land lebt, hat man viele Probleme.	illegal(ly)

Industrie, die, -n	In der Industrie gibt es viele Arbeitsplätze.	industry
Kleiderkauf, der, "-e	Ich helfe meiner Freundin beim Kleiderkauf.	clothes shopping
Knopf, der, "-e	Meine Bluse hat drei Knöpfe.	button
Lohn, der, "-e	Viele Leute bekommen nur geringen Lohn für ihre Arbeit.	income
Mode-Designer, der, -	Meine Freundin möchte gern Mode-Designerin werden.	fashion designer
Modefirma, die, -firmen	Janina hat eine kleine Modefirma.	fashion label
Nadel, die, -n	Ich nähe ein Kleid mit Nadel und Faden.	needle
nähen	Meine Schwester näht sich ihre Kleidung selbst.	to sew
Nähmaschine, die, -n	Janina benutzt ihre Nähmaschine sehr oft.	sewing machine
niedrig	Wegen der Globalisierung sind die Preise für Kleider oft sehr niedrig.	low
originell	Lady Gaga zieht sich sehr originell an.	original
Produktion, die, -en	Die Produktion von Autos ist sehr teuer.	production
Schneider, der, -	Janina macht ein Praktikum bei einer Schneiderin.	tailor
Spiegel, der, -	An der Wand hängt ein großer Spiegel.	mirror
Stoff, der, -e	Mein T-Shirt ist aus rotem Stoff.	fabric
Transport, der, -e	Der Transport von Lebensmitteln muss schnell gehen.	transport, shipping
Seite 43 auch wenn	Ich trage immer Markenkleidung, auch wenn sie sehr teuer ist.	even when
Geschmackssache, die, -n	Kunst ist Geschmackssache.	matter of taste
Mut, der (Sg.)	Sie hat wirklich Mut!	courage, bravery
Stil, der, -e	Diese Hose passt nicht zu meinem Stil.	style
weiter	Mach weiter so!	further
Seite 44 gemustert	Pauls Mutter trägt einen gemusterten Rock.	patterned
Jeanshemd, das, -en	Der Vater hat ein Jeanshemd an.	denim shirt
Neon-Shirt, das, -s	Sind Neon-Shirts heute noch in?	neon shirt
Seite 45 **Freibad**, das, "-er	Ich finde es super, ins Freibad zu gehen.	outdoor swimming pool
Fun-Park, der, -s	Wir skaten oft im Fun-Park.	recreational park
geil (ugs.)	Die Band macht total geile Musik.	awesome (sl.)
hart, härter, am härtesten	Vor dem Wettbewerb muss Sebastian noch hart trainieren.	hard
mittlerweile	Mittlerweile kann mein kleiner Bruder schon richtig gut skaten.	meanwhile
perfekt	Ich möchte endlich perfekt Ski fahren können.	perfect
schwierig	Mathe finde ich ziemlich schwierig.	difficult
skaten	Sebastian skatet schon seit drei Jahren.	to skate
Traum, der, "-e	Hast du einen Traum?	dream
Turnier, das, -e	Sebastian möchte an internationalen Turnieren teilnehmen.	tournament
Seite 46 an|fühlen (sich)	Der Tisch fühlt sich kalt an.	to feel (like sth.)
behindert	Benni ist behindert, denn er kann seinen Körper nicht richtig bewegen.	handicapped
blind	Wenn man blind ist, kann man keine normalen Bücher lesen.	blind
darüber	Was bedeutet Leben? Darüber muss ich erst nachdenken.	about this
entgegnen	Janosch entgegnet nichts auf Bennis Frage.	to reply, to retort
erwidern	Er erwidert nichts auf meine Frage.	to reply, to retort

Fenstersims, das, -e	Benni sitzt auf dem Fenstersims.	windowsill
finster	Am Abend wird es draußen finster.	dark, gloomy
gehörlos	Gehörlose Menschen sprechen mit den Händen.	deaf
gelähmt	Eine gelähmte Person kann sich nicht richtig bewegen.	paralyzed
glimmen	Das Feuer glimmt nur noch ein bisschen.	to glow
heimlich	Die Jungs fahren heimlich nach München.	secretly
hinaus|gucken	Benni sitzt am Fenster und guckt hinaus.	to look out
Internat, das, -e	Jans Schule ist ein Internat.	boarding school
Körperhälfte, die, -n	Der Junge kann seine rechte Körperhälfte nicht bewegen.	half of (one's) body
nach|denken* (über + Akk.)	Janosch denkt über das Leben nach.	to contemplate, to think about
Punkt, der, -e	Clowns haben oft einen roten Punkt auf der Nase.	point
Rolle, die, -n	Essen spielt eine wichtige Rolle in meinem Leben.	role
schlucken	Peter schluckt das Essen.	to swallow
Sims, der, -e	Auf dem Sims stehen einige Blumen.	ledge, mantelpiece
streichen*	Jan streicht mit der Hand über den Tisch.	*here:* to stroke
taub	Mein Opa ist taub, er hört überhaupt nichts.	deaf
verbringen*	Ich habe schon mal eine Nacht in München verbracht.	to spend (time)
ziehen* (an + Dat.)	Der Vater zieht an seiner Zigarette.	to pull
ziehen*	Benni zieht zu seinem Vater nach München.	*here:* to move
Zigarette, die, -n	Der Vater raucht eine Zigarette.	cigarette
Seite 47 an|hören (sich)	Wie hörst du dich denn an? Bist du krank?	to sound (like sth.)
Behinderung, die, -en	Gibt es in deiner Klasse Schüler mit Behinderung?	disability
Blinde, der/die, -n	Ein Blinder kann nichts sehen.	blind person
ernst nehmen*	Viele Leute nehmen die Schule nicht ernst.	to take seriously
flüstern	Kinder, hier darf man nicht laut sein, bitte flüstert.	to whisper
fragend	Janosch schaut seinen Freund fragend an.	questioning
halbseitengelähmt	Benni ist halbseitengelähmt.	paralyzed on one side, hemiplegic
Halbseitenspastiker, der, -	Max ist seit seiner Geburt Halbseitenspastiker.	paralyzed on one side
halten* (für + Akk.)	Viele Menschen halten mich für einen Idioten.	to perceive
Krüppel, der, - (ugs.)	Krüppel ist ein sehr böses Wort für behinderte Menschen.	cripple
ohnehin	Ich will nichts lernen, denn alle halten mich ohnehin für blöd.	anyhow, anyway
Taube, der/die, -n (ugs.)	Ein Tauber kann nichts hören.	deaf person
verdammt	Ich will verdammt noch mal nicht behindert sein!	damned
Seite 48 Abschnitt, der, -e	Lies den nächsten Abschnitt laut vor.	section
Begeisterung, die (Sg.)	Ich habe das Buch mit großer Begeisterung gelesen.	excitement
Buchpräsentation, die, -en	Bereite eine Buchpräsentation vor.	book presentation
Einleitung, die, -en	Jede Präsentation braucht eine Einleitung und einen Schluss.	introduction
Erzählung, die, -en	Die Erzählung ist von einem berühmten Autor.	story, account
gehen* (um + Akk.)	Im Buch geht es um einen jungen Mann.	to be about, to concern
handeln (von + Dat.)	Die Erzählung handelt von einem lustigen Mädchen.	to be about, to concern
Präsentation, die, -en	Bei einer Präsentation ist es wichtig, deutlich zu sprechen.	presentation

Textabschnitt, der, -e	Was steht in diesem Textabschnitt?	text excerpt
wem	Wem würdest du das Buch empfehlen?	whom
Zuhörer, der, -	Schaut den Zuhörern ins Gesicht.	listener
Seite 49 Second-Hand-Kleidung, die *(Sg.)*	Wie findest du Second-Hand-Kleidung?	secondhand clothes

6 Kommunikation

Seite 50 Campingausrüstung, die, -en	Die Mädchen packen die Campingausrüstung in ihre Rucksäcke.	camping equipment
checken	Karina checkt ihre Campingausrüstung.	to check
eventuell	Eventuell braucht Vera auch Gummistiefel.	perhaps
Klassenforum, das, -foren	Manche Schüler schreiben ins Klassenforum, wenn sie Hilfe brauchen.	class forum
Referat, das, -e	Dario bereitet ein Referat über Pferde vor.	essay
Vortrag, der, "-e	In Darios Vortrag geht es um Pferde.	talk, lecture
Seite 51 denen	Ich brauche Fotos, auf denen man Pferde sieht.	*here:* on which
Energie, die, -n	Wir bauen ein Auto, für das man keine Energie braucht.	energy
erfinden*	Wer hat das Telefon erfunden?	to invent
Erfindung, die, -en	Das Internet ist eine tolle Erfindung!	invention
ewig	Das Lied ist so schön, das könnte ich ewig hören.	endless(ly)
fort	Der Schnee ist im Frühling schnell wieder fort.	away, gone
Freak, der, -s	So ein Freak!	freak
Geschichtsprojekt, das, -e	Ich suche alte Fotos für unser Geschichtsprojekt.	history project
Katastrophe, die, -n	Die neue Schule ist super, nur die Turnhalle ist eine Katastrophe.	catastrophe
Keller, der, -	Meine Oma hat noch ein paar alte Bilder im Keller.	basement
Kletterbaum, der, "-e	Ich brauche einen Kletterbaum für meine Katze.	climbing tree
Schrift, die, -en	Schreib ordentlich! Ich kann deine Schrift nicht lesen.	handwriting
schummeln	Sandra hat gestern in der Prüfung geschummelt.	to cheat
unsichtbar	Samuel sucht einen Stift, mit dem man unsichtbar schreiben kann.	invisible
verzweifelt	Der Schüler ist vor der Prüfung total verzweifelt.	frustrated
Wiederholungsprüfung, die, -en	Er muss die Wiederholungsprüfung in Mathe machen.	repeat examination
Zauberstift, der, -e	Samuel braucht dringend einen Zauberstift.	marker with disappearing ink
Seite 52 abgesperrt	Nach dem Unfall hat die Polizei die Straße abgesperrt.	closed off, barricaded
Ausflugsziel, das, -e	Das Grüne Band ist ein beliebtes Ausflugsziel.	vacation destination
Band, das, "-er	Das Grüne Band ist ein Naturschutzgebiet.	band
Birkhuhn, das, "-er	Hast du schon mal ein Birkhuhn gesehen?	black grouse
breit	Die neue Straße ist ziemlich breit.	wide
eisern	Der Eiserne Vorhang trennte früher Europa.	iron
Fischotter, der, -	Fischotter können gut schwimmen.	otter
Gebiet, das, -e	In diesem Gebiet leben viele seltene Tiere.	region
gemeinsam	Die beiden Klassen organisierten das Projekt gemeinsam.	together
Grenze, die, -n	Zwischen zwei Ländern ist immer eine Grenze.	border
Grenzkontrolle, die, -n	Heute gibt es in der EU fast keine Grenzkontrollen mehr.	border control
Grenzstreifen, der, -	Der Grenzstreifen war ein abgesperrtes Gebiet.	border line

Grenzübergang, der, "-e	Am Grenzübergang hat man die Ausweise kontrolliert.	border crossing
informieren (sich) (über + *Akk.*)	Die Schüler informierten sich im Internet über den Eisernen Vorhang.	to inform
Kilometer, der, - (*Abkürzung:* km)	Der Eiserne Vorhang war mehrere Kilometer breit.	kilometer
Naturschutzgebiet, das, -e	Der alte Grenzstreifen ist heute ein Naturschutzgebiet.	nature preserve
Öffnung, die, -en	Viele Menschen haben sich über die Öffnung der Grenze gefreut.	opening (of an object)
Projektplan, der, "-e	Die Klasse machte vor der Ausstellung einen Projektplan.	project plan
Recherche, die, -n	Ich mache viel Recherche im Internet.	research
Treffen, das, -	Die Klasse organisierte ein Treffen mit den tschechischen Schülern.	meeting
Vorhang, der, "-e	Vorhänge am Fenster machen ein Zimmer dunkel.	curtain

Seite 53

Ausstellung, die, -en	Viele Eltern besuchten die Ausstellung an der Schule.	exhibition
Biologielehrer, der, -	Die Biologielehrerin hat den Schülern beim Projekt geholfen.	biology teacher
Direktor, der, -en	Die Schüler redeten mit ihren Lehrern und dem Direktor.	*here:* principal
eröffnen	Der Direktor eröffnete die Ausstellung.	to open, to begin
Eröffnung, die, -en	Viele Besucher sind zur Eröffnung der Ausstellung gekommen.	opening (of an event)
Erwachsene, der/die, -n	Auch Erwachsene können noch viel lernen.	adult
fest|stellen	Die Schüler haben festgestellt, dass sie viele Informationen brauchen.	to discover
Gelegenheit, die, -en	Die Ausstellung ist eine gute Gelegenheit, viel zu lernen.	opportunity
Klassensprecher, der, -	Die Klassensprecherin begrüßte die Gäste.	class president
so viel, so viele	Ich habe noch nie so viele Erwachsene in der Schule gesehen.	so many
stolz	Die Schüler sind stolz auf ihr Projekt.	proud
Streifen, der, -	Das Grüne Band ist ein breiter Streifen Natur.	stripe, swath
Umgebung, die, -en	Hier in der Umgebung gibt es viele schöne Ausflugsziele.	surrounding area
zusammen|arbeiten	Bei dem Projekt haben deutsche und tschechische Schüler zusammengearbeitet.	to work together

Seite 54

baldig	Für eine baldige Antwort wäre ich Ihnen sehr dankbar.	prompt
bewundern	Max bewundert seine große Schwester.	to admire
daher	Ich bin neu hier in Hamburg, daher kenne ich noch nicht viele Leute.	*here:* because of this
dennoch	Du hast wenig Zeit. Kannst du mir dennoch helfen?	nonetheless
direkt	Nadja sagt immer, was sie denkt. Sie ist sehr direkt.	direct, frank
E-Mailpartner, der, -	Keiko hätte gern eine E-Mailpartnerin aus Frankreich.	e-mail partner
erfahren*	Ich habe erst gestern vom Austausch erfahren.	to hear of (sth.)
erfolgreich	Das Projekt ist sehr erfolgreich.	successful
geehrt	Sehr geehrte Damen und Herren, ...	honored
gehen*	Was machst du da? So geht das nicht.	to proceed, to happen

hochachtungsvoll	„Hochachtungsvoll" ist sehr höflich für „viele Grüße".	yours truly
innig	Nadja und Marie haben eine innige Freundschaft.	tender, affectionate
mit freundlichen Grüßen	„Mit freundlichen Grüßen" kann man in jedem Brief schreiben.	friendly greetings
mit|teilen	Meine Lehrerin hat mir mitgeteilt, dass ich nach Frankreich fahren darf.	to inform
nicht nur ..., sondern auch	Französisch ist nicht nur mein Lieblingsfach, sondern auch mein Hobby.	not only…but also
Partnerschaft, die, -en	Die Partnerschaft mit der französischen Schule gibt es schon lange.	partnership
Respekt, der (Sg.)	Jeder Mensch hat Respekt verdient.	respect
verbunden	Für Ihre Hilfe wäre ich Ihnen sehr verbunden.	indebted
Vergnügen, das, -	Gehst du mit ins Kino? - Na klar, mit dem größten Vergnügen.	pleasure
Verständnis, das (Sg.)	Ich habe Verständnis für deine Situation.	understanding
wenden (sich) (an + Akk.)	Keiko wendet sich mit ihrer Bitte an die französische Lehrerin.	to turn to
Seite 55 ächzen	Jan ächzt, weil sein Rucksack so schwer ist.	to strain
Deutschtest, der, -s	Der Deutschtest findet morgen in der letzten Stunde statt.	German test
erstaunt	Marie ist über die Neuigkeit sehr erstaunt.	astounded
Gott, der, "-er	Oh mein Gott!	God
Lachen, das (Sg.)	Das Lachen von Nadja ist ziemlich laut.	laughter
los|müssen*	Nadja muss los, sonst kommt sie zu spät.	to get going
Neuigkeit, die, -en	Hör zu, es gibt Neuigkeiten.	new information
umarmen	Marie umarmt ihre Freundin.	to hug, to embrace
Zeitungsartikel, der, -	Hast du den Zeitungsartikel gelesen?	newspaper article
Seite 56 Abkürzung, die, -en	In einer SMS verwendet man viele Abkürzungen.	abbreviation
Achselzucken, das (Sg.)	Wenn ich etwas nicht weiß, antworte ich mit einem Achselzucken.	shrug
beleidigt	Jetzt sei doch nicht gleich beleidigt!	insulted
Gegrinse, das (Sg.)	Sein Gegrinse ist voll nervig.	smirk
gern geschehen	Gern geschehen!	my pleasure
Hammer-	Kennst du das neue Hammerlied von Jasper?	hit
hassen	Jasper hasst die SMS-Sprache.	to hate
jenseits (+ Gen.)	Ich stehe jenseits des Flusses, auf der anderen Seite der Brücke.	beyond, past
Knicks, der, -e	Das Mädchen macht einen höflichen Knicks.	bow, curtsy
kommentieren	Musst du alles kommentieren, was ich sage?	to comment
lässig	Die Jungs tragen lässige Kleidung.	casual
mental	Mein Opa ist mental noch ziemlich fit.	mentally
Neid, der (Sg.)	Anna hat gute Noten in Mathe. Ihre Mitschüler sind voller Neid.	envy, jealousy
schlagen*	Jan hat einen Mitschüler geschlagen.	to strike, to hit, to defeat
Schranke, die, -n	Auf dem Parkplatz ist eine Schranke.	barrier, gate
Smiley, der, -s	Ich benutze viele Smileys, wenn ich chatte.	smiley
sprachlos	Jan ist sprachlos.	speechless
Stimme, die, -n	Jasper hat eine tolle Stimme.	voice
übersetzen	Kannst du den Text übersetzen?	to translate
übrigens	Tina hat übrigens gestern angerufen.	by the way
Verlegenheit, die (Sg.)	Das ist peinlich. Willst du mich in Verlegenheit bringen?	embarrassment

vielmehr	Das rote Auto gehört Paul oder vielmehr seinem Vater.	more so

7 Geschichte(n)

Seite 58 Dimension, die, -en	Im Film „Avatar" erlebten die Zuschauer neue Dimensionen.	dimension
entstehen*	Der Film „Avatar" entstand 2009.	to originate in
Filmstar, der, -s	Marilyn Monroe war ein Filmstar der 50er-Jahre.	film star
gerade	Marilyn Monroe starb, als sie gerade 36 war.	just
Geste, die, -n	Die Schauspieler im Stummfilm unterhielten sich mit Gesten.	gesture
kombinieren (mit + Dat.)	Neue Filme kombinieren oft Schauspieler und Animationen am Computer.	to combine
komplett	Mit dem neuen Sofa ist die Wohnung endlich komplett.	complete
Liebesgeschichte, die, -n	In „Titanic" geht es um eine traurige Liebesgeschichte.	love story
Mythos, der, Mythen	Marilyn Monroe wurde zu einem Mythos.	myth
Tod, der, -e	Ein früher Tod macht Schauspieler oft berühmt.	death
Western, der, -	Der erste Western entstand 1903.	western film
Zuschauer, der, -	Viele Zuschauer weinten, als sie „Titanic" sahen.	viewer
zwar	Die Schauspieler im Stummfilm sprachen zwar, aber man hörte sie nicht.	here: though
Seite 59 als	Ich habe alle Filme mit Jimi Blue gesehen, als ich zehn Jahre alt war.	here: when, while
Clique, die, -n	Unsere Clique trifft sich immer auf dem Fußballplatz.	clique
Kerl, der, -e	Leon war ein riesiger Kerl.	guy
Seite 60 darauf	Wilson Gonzalez wurde berühmt, bald darauf zog er nach Berlin.	thereafter, thereupon
dauernd	Ein Star muss dauernd Autogramme schreiben.	constantly
ebenso	Jimi Blue ist Schauspieler, ebenso wie sein Bruder.	just like
erscheinen*	Wann erscheint dein erstes Album?	to come out, to be released (as in an album)
Filmfigur, die, -en	Die Filmfigur von Wilson Gonzalez heißt Leon.	film personality
Filmreihe, die, -n	Die Filmreihe „Die wilden Kerle" war sehr erfolgreich.	film series, franchise
herum|gehen*	Ich bin im Haus herumgegangen und habe meinen Schlüssel gesucht.	to go about, to go around
Kinderstar, der, -s	Wilson Gonzalez war schon mit 13 Jahren ein Kinderstar.	child star
kleben	Jan hat das Poster an die Wand geklebt.	to stick, to adhere
Kunstschule, die, -n	In den USA besuchte Wilson Gonzalez eine Kunstschule.	art school, conservatory
Raptext, der, -e	Wilson Gonzalez schreibt auch Raptexte.	rap lyrics
reif	Kinderstars werden oft reife Schauspieler.	ripe, mature
Serie, die, -n	Wann kommt der nächste Teil der Serie ins Kino?	series
weiter|gehen*	Warum bleibst du stehen? Geh weiter!	to continue, to go further
Seite 61 Biologietest, der, -s	Am Vormittag musste ich für einen Biologietest lernen.	biology test
mähen	Nachmittags habe ich den Rasen gemäht.	to mow
Parkourshow, die, -s	Robbie wollte die Parkourshow von Profis sehen.	parkour show
Physiktest, der, -s	Hast du schon für den Physiktest gelernt?	physics test
schulfrei	Die Schüler hatten gestern schulfrei.	day off from school

stechen*	Pass auf! Wespen können stechen.	to sting
Wespe, die, -n	Im Sommer gibt es viele Wespen.	wasp
Seite 62 Arme, der/die, -n	Der Pirat verteilte das Geld an die Armen.	poor person
Bart, der, "-e	Piraten haben oft einen Bart im Gesicht.	beard
bis	Es dauerte lange, bis die Soldaten Klaus Störtebeker fingen.	until
blicken	Die Frau dort blickt in meine Richtung.	to glance, to look
Bürgermeister, der, -	Der Bürgermeister half den reichen Kaufleuten.	mayor
Denkmal, das, "-er	Der Pirat bekam 1982 ein Denkmal in Hamburg.	memorial site
Ereignis, das, -se	Das Denkmal erinnert an ein Ereignis aus dem Jahr 1401.	event, occurrence
Gefangene, der/die, -n	Störtebeker und seine Mannschaft waren Gefangene.	prisoner
Hafen, der, "-	In Hamburg gibt es einen großen Hafen.	harbor
Held, der, -en	Ein Held ist eine Person, die viele Menschen bewundern.	hero
Kampf, der, "-e	Die Piraten verloren den Kampf.	battle
Kaufleute, die (Pl.)	Kaufleute handeln mit Waren.	merchants
Mannschaft, die, -en	Der Kapitän überfiel mit seiner Mannschaft viele Schiffe.	crew, team
mitten	Das Denkmal steht mitten im Hamburger Hafen.	in the middle
Pirat, der, -en	Klaus Störtebeker war ein Pirat.	pirate
Schulter, die, -n	Der Mann blickt über seine Schulter.	shoulder
Seeleute, die (Pl.)	Viele Seeleute haben Angst vor Piraten.	seafarers
Seemann, der, "-er	Klaus Störtebeker war Seemann und Kapitän, bis er Pirat wurde.	sailor
Soldat, der, -en	Die Soldaten hatten einen Kampf mit den Piraten.	soldier
sterben*	Störtebekers Mannschaft musste sterben.	to die
überfallen*	Störtebeker überfiel so lange Schiffe, bis die Soldaten ihn besiegten.	to rob, to hold up
weg|nehmen*	Die Piraten nahmen den Seeleuten die Waren weg.	to take away
Seite 63 ab|schlagen*	Der Henker schlug Klaus Störtebeker den Kopf ab.	to chop off, to cut off
besiegen	Die Soldaten besiegten die Piraten.	to defeat
Henker, der, -	Der Henker sollte die Gefangenen töten.	executioner, hangman
Reihe, die, -n	Die Seemänner standen in einer Reihe vor dem Henker.	row
Richter, der, -	Der Richter wollte, dass alle Piraten sterben.	judge
Strafe, die, -n	Die Piraten bekamen eine harte Strafe.	punishment, sentence
töten	Der Henker tötete die komplette Mannschaft.	to kill
Versprechen, das, -	Der Bürgermeister hielt sein Versprechen nicht.	promise
vorbei|laufen*	Der Kapitän lief an einigen Männern vorbei.	to run by
Seite 64 Hauptperson, die, -en	Wie heißt die Hauptperson der Geschichte?	main character
überrascht	Ich war sehr überrascht, als ich die Neuigkeit hörte.	surprised

8 So ist das bei uns.

Seite 66 Chili, der (Sg.)	Pia und ihre Freunde haben Pizza mit Chili gegessen.	chili
ein|schenken	Soll ich dir noch mehr Saft einschenken?	to pour (into one's glass)
eklig	Kolja findet Pizza mit Chili eklig.	revolting, disgusting, nasty
erkältet	Nadja putzte sich oft die Nase, weil sie erkältet war.	having a cold
Geldbeutel, der, -	Kannst du heute bezahlen? Ich habe meinen Geldbeutel vergessen.	wallet

	Naseputzen, das *(Sg.)*	Keiko findet Naseputzen beim Essen komisch.	nose blowing
	scharf, schärfer, am schärfsten	Chilis sind ziemlich scharf.	spicy
	wundern (sich) (über + *Akk.*)	Keiko wundert sich manchmal über ihre deutschen Freundinnen.	to wonder
Seite 67	an|lassen*	Du kannst die Schuhe im Haus anlassen.	to leave on
	aus|packen	Pia hat das Geschenk sofort ausgepackt.	to unpack
	aus|ziehen*	Soll ich die Schuhe ausziehen?	to take off
	automatisch	In Japan zieht man die Schuhe automatisch immer aus.	automatically
	daran	In Deutschland ist vieles seltsam. Daran muss sich Keiko erst gewöhnen.	to this
	Deutsche, der/die, -n	Die Deutschen sind meistens pünktlich.	German (person)
	gewöhnen (sich) (an + *Akk.*)	Die Japanerin hat sich schnell an das Leben in Deutschland gewöhnt.	to acclimate, to get used to
	Heimweh, das *(Sg.)*	Wenn ich eine lange Reise mache, bekomme ich immer Heimweh.	homesickness
	merken	Ich habe gar nicht gemerkt, dass ich meinen Geldbeutel verloren habe.	to notice, to perceive
	Pizzaabend, der, -e	Die Jungen machen morgen einen Pizzaabend.	pizza night
	seltsam	Keiko findet ihre deutschen Freunde manchmal seltsam.	strange
	unsicher	Stimmt das? Ich bin unsicher.	unsure
Seite 68	fluchen	Viktor flucht am liebsten auf Russisch.	to curse
	insgesamt	In diese Schule gehen insgesamt 500 Schüler.	all together
	obwohl	Ich spreche nicht gut Türkisch, obwohl meine Eltern aus der Türkei kommen.	although
	Türkischunterricht, der *(Sg.)*	Büsra hatte früher Türkischunterricht.	Turkish class
	verbessern	Viktor möchte sein Deutsch verbessern.	to improve
Seite 69	melodisch	Italienisch ist eine sehr melodische Sprache.	melodic
	Muttersprache, die, -n	Sie spricht am liebsten Deutsch, obwohl das nicht ihre Muttersprache ist.	native language, mother tongue
Seite 70	Abenteuerlust, die *(Sg.)*	Die Menschen im Mittelalter hatten viel Abenteuerlust.	desire for adventure
	anfangs	Ina interessierte sich anfangs nicht für das Mittelalter.	at first
	Burgfest, das, -e	Auf dem Burgfest tragen viele Leute Kostüme.	renaissance fair
	Dudelsack, der, "-e	Die Band machte mittelalterliche Musik mit einem Dudelsack.	bagpipes
	Erfüllung, die *(Sg.)*	Sein Traum ist endlich in Erfüllung gegangen.	fulfilllment
	Erlaubnis, die *(Sg.)*	Die Eltern geben Clemens die Erlaubnis für seine Auftritte.	permission
	etwas	Mit dem Ferienjob verdiene ich etwas Geld.	some
	Faszination, die *(Sg.)*	Ina und Clemens sprechen über die Faszination Mittelalter.	fascination
	Feuerspucken, das *(Sg.)*	Clemens lernt seit drei Jahren Feuerspucken.	fire eating
	Feuerspucker, der, -	Er ist Feuerspucker von Beruf.	fire eater
	Gedanke, der, -n	Clemens macht sich vor jedem Auftritt viele Gedanken.	thought
	Gespräch, das, -e	Wir haben Ina und Clemens in dem Gespräch viele Fragen gestellt.	lecture, talk

Inspiration, die, -en	Das Mittelalter ist eine Inspiration für viele Geschichten.	inspiration
Mittelalter, das, -	Viele Leute interessieren sich für das Mittelalter.	middle ages
Mittelalterfan, der, -s	Ina trifft sich oft mit anderen Mittelalterfans.	medieval hobbyist
mittelalterlich	Sie trägt gern mittelalterliche Kostüme.	medieval style
Mittelaltermarkt, der, "-e	Auf dem Mittelaltermarkt tritt ein Feuerspucker auf.	medieval market
Mühe, die, -n	Bei jedem Auftritt gibt er sich Mühe.	effort
Publikum, das (Sg.)	Das Publikum findet den Feuerspucker toll.	audience
Ritter, der, -	Die Ritter tragen tolle Kostüme.	knight
Ritterspiele, die (Pl.)	Ritterspiele gibt es fast überall.	knight games
Ritterturnier, das, -e	Auf dem Markt gab es ein Ritterturnier mit schönen Pferden.	jousting tournament
Sehnsucht, die, "-e	Die Jugendlichen haben Sehnsucht nach einem einfacheren Leben.	yearning
solcher, solche	Früher hatte Ina kein Lust, zu solchen Märkten zu gehen.	such
sorgen (für + Akk.)	Clemens sorgt mit seinen Auftritten für eine tolle Atmosphäre.	to ensure
Spinner, der, -	So ein Spinner!	crazy or reckless person
überreden	Ihre Cousins haben Ina überredet, zum Mittelaltermarkt zu gehen.	to convince
Veranstaltung, die, -en	Solche Veranstaltungen sind bei jungen Leuten ziemlich beliebt.	event
verkleiden	Viele Leute haben Spaß am Verkleiden.	to dress up
Seite 71 auf|treten*	Wann tritt die Band auf?	to step up, to take the stage
bemühen (sich) (um + Akk.)	Büsra bemüht sich, mit ihrer Mutter Deutsch zu sprechen.	to try hard, to make an effort
beschäftigen (sich) (mit + Dat.)	Ina beschäftigt sich auch in ihrer Freizeit mit dem Mittelalter.	to occupy (oneself)
erfüllen (sich)	Mein größter Wunsch hat sich erfüllt.	to fulfill
mutig	Feuerspucker finde ich echt mutig.	brave
ständig	Nadja putzte sich beim Essen ständig die Nase.	constantly
Seite 72 Anime, der, -s	Cosplayer schauen gern Animes.	anime
Bahnsteig, der, -e	Am Bahnhof gibt es viele Bahnsteige.	train platform
bemalen	Leute aus der Graffitiszene bemalen die Wände mit Farbe.	to paint, to color
Convention, die, -s	Kommst du auch zur Convention der LAN-Spieler nächste Woche?	convention
Cosplayer, der, -	Cosplayer tragen verrückte Kostüme.	cosplayer
ernähren (sich) (von + Dat.)	Ernährst du dich gesund?	to nourish
faszinieren	Was fasziniert dich an deiner Szene?	to fascinate
Graffitiszene, die, -n	Mein Freund ist in der Graffitiszene aktiv.	grafitti scene
Hauswand, die, "-e	An unserer Hauswand ist ein großes Graffiti.	outside wall of a house
LAN-Spieler, der, -	Viele männliche Jugendliche sind LAN-Spieler.	LAN gamer
Skater, der, -	Skater tragen weite Hosen.	skater
speziell	Jede Szene unternimmt spezielle Aktivitäten.	particular
Spraydose, die, -n	Sie bemalen die Wände mit Spraydosen.	spray can
Veganer, der, -	Ich finde, Veganer ernähren sich sehr extrem.	vegan
vegetarisch	Mein Bruder lebt vegetarisch.	vegetarian

Alphabetized glossary German-English

Here is a short introduction for you on how to use the alphabetized glossary:

The words in blue are particularly important, not only because they might be on the test, but because they are high frequency words, meaning that they are the ones you will need in order to communicate. Thus, they need to become your active vocabulary. Make sure you memorize them. Abgas, das, -e 3/25

The underlined vowel means that this vowel is stressed. You have to pronounce this vowel long. Abenteuerlust, die (Sg.) 8/70

A dot means that the vowel is stressed but short. anschauen 2/20

A bar behind a syllable indicates that the verb is separable. an|zeigen 4/35

In some cases, you will find verbs marked with an asterisk. These verbs are irregular. an|bieten* 2/18

Behind prepositions you will find the information: with accusative, dative or genetive.

The numbers behind the word indicate in which chapter and on which page you find the word. Names and numbers are not listed here

Abbreviations:

(f) – feminine	(Sg.) – singular	(Akk.) – accusative	(ugs.) – colloquial language
	(Pl.) – plural	(Dat.) – dative	
	(Gen.) – genitive		

Abenteuerlust, die (Sg.) 8/70	desire for adventure	an|fühlen (sich) 5/46	to feel (like sth.)
Abenteuerreise, die, -n 4/30	adventurous journey	an|geben* 4/36	here: to list
Abgas, das, -e 3/25	exhaust fumes	Angebot, das, -e 1/9	offer, sale
abgesperrt 6/52	closed off, barricaded	angenehm 3/23	pleasant(ly)
ab|hängen* 1/6	to hang out	an|hören (sich) 5/47	to sound (like sth.)
Abkürzung, die, -en 6/56	abbreviation	Animation, die, -en 4/30	animation
ab|schlagen* 7/63	to chop off, to cut off	Animationsfilm, der, -e 4/31	animated film
ab|schließen* 4/35	to sign, to conclude (a contract)	Anime, der, -s 8/72	anime
		Ankunft, die (Sg.) 2/16	arrival
Abschnitt, der, -e 5/48	section	an|lassen* 8/67	to leave on
absolut 4/32	absolute(ly)	an|schauen 2/20	to look at
ab|wechseln (sich) 4/36	to alternate	Ansicht, die, -en 3/26	opinion, outlook
Achselzucken, das (Sg.) 6/56	shrug	an|zeigen 4/35	to report
ächzen 6/55	to strain	Arbeitsspeicher, der, - 4/32	computer memory, RAM
Adrenalin, das (Sg.) 1/9	adrenaline	Argument, das, -e 3/26	argument, rationale
Album, das, Alben 1/9	album	Arme, der/die, -n 7/62	poor person
alle 3/24	every	Atmosphäre, die (Sg.) 3/22	atmosphere
allerdings 3/24	however	attraktiv 1/9	attractive
Almhütte, die, -n 3/22	alpine hut	auch wenn 5/43	even when
als 7/59	here: when, while	Audio-Spot, der, -s 4/36	audio advertisement
Altenheim, das, -e 3/28	retirement home	auf keinen Fall 4/34	by no means
Amt, das, "-er 3/24	office, department	auffällig 4/36	conspicuous
an|bieten* 2/18	to offer	Aufforderung, die, -en 4/36	order, command
ändern 2/19	to change, to alter	Aufmerksamkeit, die (Sg.) 4/36	attention
anders 2/16	different	Aufnahme, die, -en 4/31	recording
anfangs 8/70	at first	Aufteilung, die, -en 4/36	division, distribution

auf|treten* 8/71	to step up, to take the stage	Blinde, der/die, -n 5/47	blind person
Ausflugsziel, das, -e 6/52	vacation destination	Blödmann, der, "-er 2/16	idiot
ausgeflippt 2/19	crazy, outlandish	Blog, der, -s 2/16	blog
Ausland, das (Sg.) 2/15	foreign country	Boot, das, -e 3/25	boat
aus|packen 8/67	to unpack	breit 6/52	wide
aus|probieren 1/9	to sample, to test	Buchpräsentation, die, -en 5/48	book presentation
Ausrüstung, die, -en 1/9	gear, equipment		
außer 3/23	besides, other than	Bürger, der, - 3/25	citizen
Ausstellung, die, -en 6/53	exhibition	Bürgermeister, der, - 7/62	mayor
Austausch, der, -e 2/15	exchange	Burgfest, das, -e 8/70	renaissance fair
Austauschjahr, das, -e 2/20	exchange year, study abroad year	Button, der, -s 4/33	button (in software)
		Campingausrüstung, die, -en 6/50	camping equipment
Ausweiskontrolle, die, -n 1/9	ID check	CD-Laufwerk, das, -e 4/33	CD tray
aus|ziehen* 8/67	to take off	CD-ROM, die, -s 4/33	CD-ROM
automatisch 8/67	automatically	checken 6/50	to check
Bahnsteig, der, -e 8/72	train platform	Chili, der (Sg.) 8/66	chili
baldig 6/54	prompt	Churro, der, -s 2/16	churro
Band, das, "-er 6/52	band	Clique, die, -n 7/59	clique
Bart, der, "-e 7/62	beard	Convention, die, -s 8/72	convention
Baumarkt, der, "-e 3/28	hardware store	Cosplayer, der, - 8/72	cosplayer
Baumhaus, das, "-er 3/22	treehouse	dabei 3/28	thereby
Begeisterung, die (Sg.) 5/48	excitement	dabei|haben* 2/18	to have (sth.) on you
Begleitung, die, -en 1/9	accompaniment	daher 6/54	here: because of this
behindert 5/46	handicapped	dankbar 3/28	thankful
Behinderung, die, -en 5/47	disability	daran 8/67	to this
beleidigt 6/56	insulted	darauf 7/60	thereafter, thereupon
bemalen 8/72	to paint, to color		
bemühen (sich) (um + Akk.) 8/71	to try hard, to make an effort	daraus 4/31	out of it
beruflich 5/42	professional	darüber 5/46	about this
beschäftigen (sich) (mit + Dat.) 8/71	to occupy (oneself)	dauernd 7/60	constantly
		denen 6/51	here: on which
Beschreibung, die, -en 1/8	description	Denkmal, das, "-er 7/62	memorial site
beschweren (sich) 4/35 (über + Akk. / bei + Dat.)	to complain	dennoch 6/54	nonetheless
		Design, das, -s 4/36	design
		Deutsche, der/die, -n 8/67	German (person)
besiegen 7/63	to defeat	Deutschtest, der, -s 6/55	German test
besprechen* 3/26	to discuss	Dimension, die, -en 7/58	dimension
besprühen 3/28	to spray over	direkt 6/54	direct, frank
bestimmen 4/32	to determine	Direktor, der, -en 6/53	here: principal
Betriebssystem, das, -e 4/32	operating system	Diskussion, die, -en 3/26	discussion
Bewohner, der, - 3/24	inhabitant	Display, das, -s 4/36	display
bewundern 6/54	to admire	Doppelte, das (Sg.) 4/34	double
Biologielehrer, der, - 6/53	biology teacher	Download, der, -s 1/9	download
Biologietest, der, -s 7/61	biology test	Drehbuch, das, "-er 4/36	screenplay
Birkhuhn, das, "-er 6/52	black grouse	Drittel, das, - 4/34	third
bis 7/62	until	Dudelsack, der, "-e 8/70	bagpipes
blass 2/16	pale	DVD-Abend, der, -e 1/6	movie night
Blatt, das, "-er 1/12	here: sheet	eben 2/16	here: just
bleich 2/16	pale	ebenso 7/60	just like
blicken 7/62	to glance, to look	Ecke, die, -n 3/24	corner
blind 5/46	blind	eifersüchtig 2/16	jealous

ein|cremen 2/16	to put some cream on
Einfamilienhaus, das, "-er 3/23	single-family home
Einkaufszentrum, das, -zentren 3/24	shopping mall
ein|legen 4/32	to insert (a CD)
Einleitung, die, -en 5/48	introduction
ein|schenken 8/66	to pour (into one's glass)
Einzelkind, das, -er 2/16	only child
eisern 6/52	iron
eklig 8/66	revolting, disgusting, nasty
Elternteil, der, -e 1/9	parent
E-Mailpartner, der, - 6/54	e-mail partner
Emotion, die, -en 4/36	emotion
empfehlen* 1/8	to recommend
empfehlenswert 4/32	recommendable
Energie, die, -n 6/51	energy
entgegnen 5/46	to reply, to retort
entstehen* 7/58	to originate in
Ereignis, das, -se 7/62	event, occurrence
erfahren* 6/54	to hear of (sth.)
erfinden* 6/51	to invent
Erfindung, die, -en 6/51	invention
Erfolg, der, -e 4/32	success
erfolgreich 6/54	successful
erforderlich 1/9	necessary
erfüllen (sich) 8/71	to fulfill
Erfüllung, die (Sg.) 8/70	fulfilllment
erkältet 8/66	having a cold
Erlaubnis, die (Sg.) 8/70	permission
ernähren (sich) (von + Dat.) 8/72	to nourish
ernst nehmen* 5/47	to take seriously
eröffnen 6/53	to open, to begin
Eröffnung, die, -en 6/53	opening (of an event)
Ersatztermin, der, -e 1/9	alternate date, rain date
erscheinen* 7/60	to come out, to be released (as in an album)
erst einmal 4/35	first of all
erstaunt 6/55	astounded
Erste, der/die, -n 3/26	first
Erwachsene, der/die, -n 6/53	adult
erwidern 5/46	to reply, to retort
Erzählung, die, -en 5/48	story, account
etwas 8/70	some
eventuell 6/50	perhaps
ewig 6/51	endless(ly)
exotisch 2/16	exotic
extrem 4/34	extreme(ly)
Fabrik, die, -en 5/42	factory
Faden, der, "- 5/42	thread
Fahrer, der, - 3/25	driver
falten 1/12	to fold
Faszination, die (Sg.) 8/70	fascination
faszinieren 8/72	to fascinate
Feature, das, -s 4/32	feature
Fenster, das, - 4/33	window (in software)
Fenstersims, das, -e 5/46	windowsill
Festival, das, -s 1/9	festival
Festnetz, das, -e 4/34	network
Festplatte, die, -n 4/33	hard drive
fest|stellen 6/53	to discover
fettig 2/16	fatty
Feuerspucken, das (Sg.) 8/70	fire eating
Feuerspucker, der, - 8/70	fire eater
Filmfigur, die, -en 7/60	film personality
Filmreihe, die, -n 7/60	film series, franchise
Filmstar, der, -s 7/58	film star
finster 5/46	dark, gloomy
Fischotter, der, - 6/52	otter
fluchen 8/68	to curse
flüstern 5/47	to whisper
fort 6/51	away, gone
Forum, das, Foren 2/14	forum
fragend 5/47	questioning
Freak, der, -s 6/51	freak
Freibad, das, "-er 5/45	outdoor swimming pool
Freizeitmöglichkeit, die, -en 3/25	leisure opportunity
Freizeittyp, der, -en 1/8	type of person who enjoys a particular leisure activity
fremd 4/32	foreign, unknown
Fun-Park, der, -s 5/45	recreational park
garantieren 4/32	to guarantee
Gastbruder, der, "- 2/16	host brother
Gasteltern, die (Pl.) 2/16	host parents
Gastmutter, die, "- 2/16	host mother
Gastschüler, der, - 2/14	exchange student
Gastvater, der, "- 2/16	host father
Gebäck, das, -e 2/16	pastry
Gebiet, das, -e 6/52	region
Gedanke, der, -n 8/70	thought
Geduld, die (Sg.) 4/31	patience
geehrt 6/54	honored
Gefangene, der/die, -n 7/62	prisoner
gegen (+ Akk.) 4/30	against

Gegrinse, das (Sg.) 6/56	smirk	Halbbruder, der, "- 2/17	half-brother
gehen* (1) 4/31	to go, to proceed	Halbschwester, die, -n 2/16	half-sister
gehen* (2) (um + Akk.) 5/48	to be about, to concern	halbseitengelähmt 5/47	paralyzed on one side, hemiplegic
gehen* (3) 6/54	to proceed, to happen	Halbseitenspastiker, der, - 5/47	paralyzed on one side
gehörlos 5/46	deaf	**Hälfte**, die, -n 4/34	half
Geige, die, -n 1/6	violin	**halten*** (für + Akk.) 5/47	to perceive
geil (ugs.) 5/45	awesome (sl.)	**Hammer**, der, - 3/28	hammer
gelähmt 5/46	paralyzed	Hammer- 6/56	hit
Geldbeutel, der, - 8/66	wallet	hämmern 3/28	to hammer
Geldkarte, die, -n 2/18	cash card	**handeln** (von + Dat.) 5/48	to be about, to concern
Gelegenheit, die, -en 6/53	opportunity		
gemeinsam 6/52	together	Handykauf, der, "-e 4/34	cell phone purchase
gemustert 5/44	patterned	Handynetz, das, -e 4/34	cell network
gerade 7/58	just	Handyvertrag, der, "-e 4/35	cell phone contract
Geräusch, das, -e 4/36	sound	**hart**, härter, am härtesten 5/45	hard
gering 5/42	small, modest		
gern geschehen 6/56	my pleasure	**hassen** 6/56	to hate
gesamt 4/31	entire	Hauptperson, die, -en 7/64	main character
Geschichtsprojekt, das, -e 6/51	history project	Hausboot, das, -e 3/22	houseboat
		Hauswand, die, "-e 8/72	outside wall of a house
geschmacklos 2/14	tasteless		
Geschmackssache, die, -n 5/43	matter of taste	heimlich 5/46	secretly
		Heimweh, das (Sg.) 8/67	homesickness
gespannt 1/12	in suspense	Held, der, -en 7/62	hero
Gespräch, das, -e 8/70	lecture, talk	Henker, der, - 7/63	executioner, hangman
Geste, die, -n 7/58	gesture		
gewöhnen (sich) (an + Akk.) 8/67	to acclimate, to get used to	**herrlich** 3/23	wonderful, marvelous
		her|stellen 4/32	to forge, to create
gleichzeitig 2/16	simultaneously	herum|gehen* 7/60	to go about, to go around
glimmen 5/46	to glow		
Globalisierung, die (Sg.) 5/42	globalization	hinaus|gucken 5/46	to look out
Gott, der, "-er 6/55	God	hin|bringen* 1/9	to bring over (so. or sth.)
Graffiti, die (Pl.) 3/28	graffiti		
Graffitiszene, die, -n 8/72	grafitti scene	hinein|können* 3/27	to be allowed in
Grafik, die, -en 4/32	graphics	hin|gehen* 1/10	to go over (somewhere)
Grafikkarte, die, -n 4/32	graphics card, video card		
		Hitze, die (Sg.) 2/16	heat
Grafikprogramm, das, -e 4/36	graphics program	hochachtungsvoll 6/54	yours truly
grafisch 4/36	graphic (adj.)	Hochhaus, das, "-er 3/23	tall building, skyscraper
Grenze, die, -n 6/52	border		
Grenzkontrolle, die, -n 6/52	border control	**Höhe**, die, -n 1/9	elevation
Grenzstreifen, der, - 6/52	border line	Höhenangst, die (Sg.) 3/22	vertigo, fear of heights
Grenzübergang, der, "-e 6/52	border crossing		
Grillplatz, der, "-e 1/9	grill pavilion	Höhlenhaus, das, "-er 3/23	cave house
Großraumwohnung, die, -en 3/22	open-plan apartment	**Holz**, das, "-er 3/28	wood
		Hotline, die, -s 4/35	hotline
Großstadt, die, "-e 3/23	big city	House-Musik, die (Sg.) 1/9	house music
Grundgebühr, die, -en 4/34	flat rate	illegal 5/42	illegal(ly)
Grundschule, die, -n 3/24	elementary school	in 1/12	in fashion
Hafen, der, "- 7/62	harbor	**Industrie**, die, -n 5/42	industry

informieren (sich) (über + *Akk.*) 6/52	to inform
Infotag, der, -e 2/15	information day, open house
Innenstadt, die, "-e 2/16	downtown
innerhalb 4/34	within
innig 6/54	tender, affectionate
insgesamt 8/68	all together
Inspiration, die, -en 8/70	inspiration
Installation, die, -en 4/32	installation
Internat, das, -e 5/46	boarding school
Internetwerbung, die (*Sg.*) 4/36	online advertisement
irgend- 3/27	some
irgendein, irgendeine 3/27	some kind of, any
irgendwann 3/27	sometime
irgendwas 3/27	something
irgendwelche 3/27	any
irgendwer 3/27	someone
irgendwie 3/27	somehow
irgendwo 3/27	somewhere
Jeanshemd, das, -en 5/44	denim shirt
jedenfalls 2/16	anyway, nonetheless
jenseits (+ *Gen.*) 6/56	beyond, past
jeweils 1/9	every time
J-Pop, der (*Sg.*) 2/14	J-Pop, Japanese pop
Jugendband, die, -s 1/9	youth band
Jungs, die (*Pl.*) 1/6	guys
Kampf, der, "-e 7/62	battle
kämpfen (gegen + *Akk.*) 4/30	to fight
Kanal, der, "-e 3/25	canal
Kapitän, der, -e 4/30	captain
Karaoke, das (*Sg.*) 2/14	karaoke
Karate, das (*Sg.*) 3/24	karate
Katalog, der, -e 1/12	catalog, magazine
Katastrophe, die, -n 6/51	catastrophe
Kaufleute, die (*Pl.*) 7/62	merchants
Keller, der, - 6/51	basement
Kerl, der, -e 7/59	guy
Kilometer, der, - (*Abkürzung:* km) 6/52	kilometer
Kinderstar, der, -s 7/60	child star
Kiosk, der, -e 3/24	kiosk, newsstand
klappen 4/31	to work out, to go smoothly
Klassenforum, das, -foren 6/50	class forum
Klassenlehrer, der, - 1/12	schoolteacher
Klassensprecher, der, - 6/53	class president
klassisch 2/14	classical
kleben 7/60	to stick, to adhere
Kleiderkauf, der, "-e 5/42	clothes shopping

Kletterbaum, der, "-e 6/51	climbing tree
Klettergarten, der, "- 1/9	facility with a climbing wall
Klettersachen, die (*Pl.*) 1/9	climbing equipment
Knicks, der, -e 6/56	bow, curtsy
Knopf, der, "-e 5/42	button
kombinieren (mit + *Dat.*) 7/58	to combine
kommentieren 6/56	to comment
komplett 7/58	complete
Konto, das, Konten 4/35	account
kontrollieren 3/27	to check, to verify
Körperhälfte, die, -n 5/46	half of (one's) body
Kriminelle, der/die, -n 4/34	criminal
Krüppel, der, - (*ugs.*) 5/47	cripple
Kuh, die, "-e 3/23	cow
kühl 3/23	cool
Kumpel, der, -s 1/6	buddy
Kunde, der, -n 4/34	customer
kündigen 4/34	to terminate
Kunstschule, die, -n 7/60	art school, conservatory
Kurztext, der, -e 4/36	summary
Lachen, das (*Sg.*) 6/55	laughter
LAN-Spieler, der, - 8/72	LAN gamer
Lärm, der (*Sg.*) 3/28	noise
lässig 6/56	casual
legal 4/35	legal
Level, das, -s 4/30	level
lieb 1/12	dear
Liebesgeschichte, die, -n 7/58	love story
Lieblings-, die 1/12	favorite
live 1/9	live (as in a concert)
Live-Musik, die (*Sg.*) 3/28	live music
Lohn, der, "-e 5/42	income
los|gehen* 4/32	to begin, to start off
los|müssen* 6/55	to get going
Lösung, die, -en 4/33	solution
mähen 7/61	to mow
mancher, manche 4/34	some
Mannschaft, die, -en 7/62	crew, team
Maus, die, "-e 4/33	mouse
mehrmals 4/31	several times
melodisch 8/69	melodic
mental 6/56	mentally
Menü, das, -s 4/33	menu
merken 8/67	to notice, to perceive
Metzgerei, die, -en 3/24	butcher
Million, die, -en 3/25	million
Millionenstadt, die, "-e 3/24	city of over a million inhabitants
Mindestalter, das, - 1/9	minimum age
Mischung, die, -en 4/32	combination

mit freundlichen Grüßen 6/54	friendly greetings	originell 5/42	original
mit|spielen 1/9	to play together	Parkourshow, die, -s 7/61	parkour show
mit|teilen 6/54	to inform	Partnerschaft, die, -en 6/54	partnership
Mittelalter, das, - 8/70	middle ages	PC-Spiel, das, -e 4/32	PC game
Mittelalterfan, der, -s 8/70	medieval hobbyist	perfekt 5/45	perfect
mittelalterlich 8/70	medieval style	Physiktest, der, -s 7/61	physics test
Mittelaltermarkt, der, "-e 8/70	medieval market	Pirat, der, -en 7/62	pirate
mitten 7/62	in the middle	Pizzaabend, der, -e 8/67	pizza night
mittlerweile 5/45	meanwhile	Popmusik, die (Sg.) 2/14	pop music
Mode-Designer, der, - 5/42	fashion designer	Präsentation, die, -en 5/48	presentation
Modefirma, die, -firmen 5/42	fashion label	Printwerbung, die (Sg.) 4/36	print advertisement
Mode-Tussi, die, -s 2/14	fashionista	Prinzessin, die, -nen 4/30	princess
möglich 4/32	possible	Probe, die, -n 1/6	rehearsal
Monster, das, - 4/30	monster	Produkt, das, -e 4/36	product
Mühe, die, -n 8/70	effort	Produktion, die, -en 5/42	production
Musiker, der, - 1/9	musician	Projektplan, der, "-e 6/52	project plan
Mut, der (Sg.) 5/43	courage, bravery	Prospekt, der, -e 1/12	flyer
mutig 8/71	brave	Prozessor, der, -en 4/32	computer processor
Muttersprache, die, -n 8/69	native language, mother tongue	Publikum, das (Sg.) 8/70	audience
		Punkt, der, -e 5/46	point
Mythos, der, Mythen 7/58	myth	pur 1/9	pure
Nachbardorf, das, "-er 3/23	neighboring village	quatschen 1/6	to chat (idly)
nach|denken* (über + Akk.) 5/46	to contemplate, to think about	Radio-DJ, der, -s 1/9	radio DJ
		Radiomacher, der, - 1/9	radio producer
Nadel, die, -n 5/42	needle	Rakete, die, -n 4/30	rocket
Nagel, der, "- 3/28	nail	Raptext, der, -e 7/60	rap lyrics
nähen 5/42	to sew	Recherche, die, -n 6/52	research
Nähmaschine, die, -n 5/42	sewing machine	Referat, das, -e 6/50	essay
Naseputzen, das (Sg.) 8/66	nose blowing	Regisseur, der, -e 4/31	movie director
Naturschutzgebiet, das, -e 6/52	nature preserve	registrieren (sich) 4/32	to register
		reif 7/60	ripe, mature
nebenan 3/28	next door	Reihe, die, -n 7/63	row
Neid, der (Sg.) 6/56	envy, jealousy	Reihenhaus, das, "-er 3/23	row house
Neon-Shirt, das, -s 5/44	neon shirt	Reise, die, -n 1/12	trip, voyage
nervös 4/30	nervous	reisen 2/20	to travel
Netbook, das, -s 4/32	netbook	Reitverein, der, -e 3/24	equestrian club
neugierig 1/11	curious	renovieren 3/28	to renovate
Neuigkeit, die, -en 6/55	new information	Renovierung, die, -en 3/28	renovation
nicht nur ..., sondern auch 6/54	not only...but also	Respekt, der (Sg.) 6/54	respect
		Richter, der, - 7/63	judge
niedrig 5/42	low	Ritter, der, - 8/70	knight
noch mal 4/35	once again	Ritterspiele, die (Pl.) 8/70	knight games
nördlich 3/24	north of	Ritterturnier, das, -e 8/70	jousting tournament
normal 2/16	normal	R'n'B-Musik, die (Sg.) 1/9	R&B music
Normaltarif, der, -e 4/34	base charge	Rolle, die, -n 5/46	role
nun 3/28	now	Route, die, -n 1/9	route
nur noch 3/24	here: instead only	scharf, schärfer, am schärfsten 8/66	spicy
obwohl 8/68	although		
Öffnung, die, -en 6/52	opening (of an object)	schaukeln 3/23	to rock
ohnehin 5/47	anyhow, anyway	schlagen* 6/56	to strike, to hit, to defeat
Open Air, das, -s 1/9	open-air concert		
Orchester, das, - 1/6	orchestra	schlank 2/14	slim

schlucken 5/46	to swallow
Schnäppchen, das, - 4/34	bargain
Schneider, der, - 5/42	tailor
Schranke, die, -n 6/56	barrier, gate
Schrift, die, -en 6/51	handwriting
Schublade, die, -n 3/27	drawer
Schülerausweis, der, -e 1/9	student ID
schulfrei 7/61	day off from school
Schulkonzert, das, -e 2/19	school concert
Schulter, die, -n 7/62	shoulder
Schuluniform, die, -en 2/14	school uniform
schummeln 6/51	to cheat
schwierig 5/45	difficult
Schwimmclub, der, -s 1/6	pool club
Second-Hand-Kleidung, die *(Sg.)* 5/49	secondhand clothes
Seeleute, die *(Pl.)* 7/62	seafarers
Seemann, der, "-er 7/62	sailor
Sehnsucht, die, "-e 8/70	yearning
seltsam 8/67	strange
Senior, der, -en 3/28	senior citizen
Serie, die, -n 7/60	series
Siesta, die, -s 2/16	siesta, afternoon nap
Sims, der, -e 5/46	ledge, mantelpiece
skaten 5/45	to skate
Skater, der, - 8/72	skater
Skaterplatz, der, "-e 1/7	skate park
Slogan, der, -s 4/36	slogan
Smiley, der, -s 6/56	smiley
so viel, **so viele** 6/53	so many
Sofa, das, -s 3/28	sofa
sogar 1/6	in fact, even
solcher, solche 8/70	such
Soldat, der, -en 7/62	soldier
Sonnenmilch, die *(Sg.)* 2/16	sunscreen
sorgen (für + *Akk.*) 8/70	to ensure
speziell 8/72	particular
Spiegel, der, - 5/42	mirror
Spinner, der, - 8/70	crazy or reckless person
Sponsor, der, -en 3/28	sponsor
Sportverein, der, -e 3/24	sports club
sprachlos 6/56	speechless
Spraydose, die, -n 8/72	spray can
Sprecher, der, - 4/31	narrator
Stadtrand, der, "-er 3/23	city limit
Stadtteil, der, -e 3/24	neighborhood
Stadttour, die, -en 1/8	tour of the city
ständig 8/71	constantly
starten 4/37	to start
statt|finden* 3/28	to take place
Stau, der, -s 3/25	traffic jam

stechen* 7/61	to sting
sterben* 7/62	to die
Stil, der, -e 5/43	style
Stimme, die, -n 6/56	voice
Stoff, der, -e 5/42	fabric
stolz 6/53	proud
Strafe, die, -n 7/63	punishment, sentence
Strategie, die, -n 4/32	strategy
Strategiespiel, das, -e 4/32	strategy game
strategisch 4/30	strategical(ly)
streichen* (1) 3/28	*here:* to paint
streichen* (2) 5/46	*here:* to stroke
Streifen, der, - 6/53	stripe, swath
Streiterei, die, -en 2/16	quarrel, fight
stressig 4/31	stressful
Strom, der *(Sg.)* 3/23	electricity
Studio, das, -s 4/31	studio
Studiotechnik, die, -en 4/31	studio equipment
stundenlang 4/32	for hours, hours long
super- 2/16	very
Synchronsprecher, der, - 4/31	dubber
Systemvoraussetzung, die, -en 4/32	system requirement
Tarif, der, -e 4/34	monthly charge, tariff
taub 5/46	deaf
Taube, der/die, -n *(ugs.)* 5/47	deaf person
Taxi, das, -s 3/24	taxi, cab
Telefonat, das, -e 4/34	phone call
Textabschnitt, der, -e 5/48	text excerpt
Ticket, das, -s 1/9	ticket (for an event)
Tod, der, -e 7/58	death
Tonstudio, das, -s 4/31	recording studio
Tontechniker, der, - 4/31	recording engineer
töten 7/63	to kill
Tournee, die, -n 1/9	tour (as in a band)
Transport, der, -e 5/42	transport, shipping
Traum, der, "-e 5/45	dream
träumen (von + *Dat.*) 1/12	to dream
Traumland, das, "-er 2/20	dream country
Traumurlaub, der, -e 1/8	dream vacation
Treffen, das, - 6/52	meeting
Trick, der, -s 4/34	trick
Türkischunterricht, der *(Sg.)* 8/68	Turkish class
Turnier, das, -e 5/45	tournament
TV-Spot, der, -s 4/36	TV advertisement
überfallen* 7/62	to rob, to hold up
überlegen (sich) 1/11	to consider
überrascht 7/64	surprised
überreden 8/70	to convince
übersetzen 6/56	to translate

überweisen* 4/35	to transfer (money)
üblich 4/35	standard
übrigens 6/56	by the way
umarmen 6/55	to hug, to embrace
Umgebung, die, -en 6/53	surrounding area
umsonst 4/34	free, complimentary
um|ziehen* (sich) 1/8	to change (clothes)
unbedingt 2/16	absolutely, at all costs
unbekannt 1/12	unknown
undeutlich 2/16	unclear(ly)
unfair 4/35	unfair
unsicher 8/67	unsure
unsichtbar 6/51	invisible
Unsinn, der (Sg.) 3/26	nonsense
unterhalten* (sich) (über + Akk.) 1/6	to discuss
unternehmen* 1/8	to undertake
unterschreiben* 1/9	to sign (a name)
Veganer, der, - 8/72	vegan
vegetarisch 8/72	vegetarian
Veranstaltung, die, -en 8/70	event
verbessern 8/68	to improve
verbringen* 5/46	to spend (time)
verbunden 6/54	indebted
verdammt 5/47	damned
vergehen* 2/16	to pass by
vergleichbar 4/32	comparable
vergleichen* (mit + Dat.) 4/34	to compare
Vergnügen, das, - 6/54	pleasure
Verkehr, der (Sg.) 3/24	traffic
verkleiden 8/70	to dress up
Verlegenheit, die (Sg.) 6/56	embarrassment
vermissen 2/16	to miss (so.)
verpassen 3/24	to miss (a bus, an appointment, etc.)
Versprechen, das, - 7/63	promise
Verständnis, das (Sg.) 6/54	understanding
Vertrag, der, "-e 4/34	contract
verzweifelt 6/51	frustrated
vielmehr 6/56	more so
Viertel, das, - 4/34	fourth
voll 2/16	very, totally
Voraussetzung, die, -en 1/9	requirement
vorbei|kommen* 1/8	to drop by
vorbei|laufen* 7/63	to run by
Vorhang, der, "-e 6/52	curtain
vor|kommen* 4/36	to appear
vor|lesen* 1/12	to read aloud
Vorort, der, -e 3/24	suburb
Vorsicht, die (Sg.) 4/34	caution
Vortrag, der, "-e 6/50	talk, lecture
Vorverkauf, der, "-e 1/9	presale
warnen (vor + Dat.) 4/34	to warn
wecken 4/36	to awake
weg|nehmen* 7/62	to take away
weiter 5/43	further
weiter|gehen* 7/60	to continue, to go further
weiter|kommen* 4/30	to progress
weiter|schreiben* 1/12	to continue writing
wem 5/48	whom
wen 2/17	whom
wenden (sich) (an + Akk.) 6/54	to turn to
Werbespruch, der, "-e 4/36	advertising slogan
Werbetext, der, -e 4/31	advertising slogan
Wespe, die, -n 7/61	wasp
Western, der, - 7/58	western film
widersprechen* 3/26	to contradict
Wiederholungsprüfung, die, -en 6/51	repeat examination
wohl 2/16	here: indeed
Wohnblock, der, "-e 3/23	city block
Wohnform, die, -en 3/23	type of living arrangement
Wunder, das, - 3/23	wonder
wundern (sich) (über + Akk.) 8/66	to wonder
Zauberer, der, - 4/30	magician, wizard
Zauberin, die, -nen 4/30	magician, wizard (f)
Zauberstift, der, -e 6/51	marker with disappearing ink
Zeile, die, -n 2/16	line (of text)
Zeitschrift, die, -en 4/32	periodical
Zeitungsartikel, der, - 6/55	newspaper article
Zentrum, das, Zentren 3/23	city center
ziehen* (1) (an + Dat.) 5/46	to pull
ziehen* (2) 5/46	here: to move
Zigarette, die, -n 5/46	cigarette
Zuhörer, der, - 5/48	listener
zurück|haben* 4/35	to get back
zurück|schicken 4/35	to send back
zurück|überweisen* 4/35	to transfer back
zurück|wollen* 4/35	to want back
zusammen|arbeiten 6/53	to work together
Zuschauer, der, - 7/58	viewer
zuständig 4/31	responsible, in charge
zu|stimmen 3/26	to agree, to concur
zu|treffen* 1/8	to be appropriate, to be spot-on
zwar 7/58	here: though

Alphabetized glossary English-German

abbreviation	Abkürzung, die, -en 6/56
about this	darüber 5/46
absolute(ly)	absolut 4/32
absolutely (at all costs)	unbedingt 2/16
to acclimate (to get used to)	gewöhnen (sich) (an + Akk.) 8/67
accompaniment	Begleitung, die, -en 1/9
account	Konto, das, Konten 4/35
to admire	bewundern 6/54
adrenaline	Adrenalin, das (Sg.) 1/9
adult	Erwachsene, der/die, -n 6/53
adventurous journey	Abenteuerreise, die, -n 4/30
advertising slogan (1)	Werbetext, der, -e 4/31
advertising slogan (2)	Werbespruch, der, "-e 4/36
against	gegen (+ Akk.) 4/30
to agree (to concur)	zustimmen 3/26
album	Album, das, Alben 1/9
all together	insgesamt 8/68
alpine hut	Almhütte, die, -n 3/22
to alternate	ab|wechseln (sich) 4/36
alternate date (rain date)	Ersatztermin, der, -e 1/9
although	obwohl 8/68
animated film	Animationsfilm, der, -e 4/31
animation	Animation, die, -en 4/30
anime	Anime, der, -s 8/72
any	irgendwelche 3/27
anyhow (anyway)	ohnehin 5/47
anyway (nonetheless)	jedenfalls 2/16
to appear	vor|kommen* 4/36
argument (rationale)	Argument, das, -e 3/26
arrival	Ankunft, die (Sg.) 2/16
art school (conservatory)	Kunstschule, die, -n 7/60
astounded	erstaunt 6/55
at first	anfangs 8/70
atmosphere	Atmosphäre, die (Sg.) 3/22
attention	Aufmerksamkeit, die (Sg.) 4/36
attractive	attraktiv 1/9
audience	Publikum, das (Sg.) 8/70
audio advertisement	Audio-Spot, der, -s 4/36
automatically	automatisch 8/67
to awake	wecken 4/36
away (gone)	fort 6/51
awesome (sl.)	geil (ugs.) 5/45
bagpipes	Dudelsack, der, "-e 8/70
band	Band, das, "-er 6/52
bargain	Schnäppchen, das, - 4/34
barrier (gate)	Schranke, die, -n 6/56
base charge	Normaltarif, der, -e 4/34
basement	Keller, der, - 6/51
battle	Kampf, der, "-e 7/62
to be about (to concern) (1)	gehen* (um + Akk.) 5/48
to be about (to concern) (2)	handeln (von + Dat.) 5/48
to be allowed in	hinein|können* 3/27
to be appropriate (to be spot-on)	zu|treffen* 1/8
beard	Bart, der, "-e 7/62
because of this	daher 6/54
to begin (to start off)	los|gehen* 4/32
besides (other than)	außer 3/23
beyond (past)	jenseits (+ Gen.) 6/56
big city	Großstadt, die, "-e 3/23
biology teacher	Biologielehrer, der, - 6/53
biology test	Biologietest, der, -s 7/61
black grouse	Birkhuhn, das, "-er 6/52
blind	blind 5/46
blind person	Blinde, der/die, -n 5/47
blog	Blog, der, -s 2/16
boarding school	Internat, das, -e 5/46
boat	Boot, das, -e 3/25
book presentation	Buchpräsentation, die, -en 5/48
border	Grenze, die, -n 6/52
border control	Grenzkontrolle, die, -n 6/52
border crossing	Grenzübergang, der, "-e 6/52
border line	Grenzstreifen, der, - 6/52
bow (curtsy)	Knicks, der, -e 6/56
brave	mutig 8/71
to bring over (so. or sth.)	hin|bringen* 1/9
buddy	Kumpel, der, -s 1/6
butcher	Metzgerei, die, -en 3/24
button (1)	Knopf, der, "-e 5/42
button (in software) (2)	Button, der, -s 4/33
by no means	auf keinen Fall 4/34
by the way	übrigens 6/56
camping equipment	Campingausrüstung, die, -en 6/50
canal	Kanal, der, "-e 3/25
captain	Kapitän, der, -e 4/30
cash card	Geldkarte, die, -n 2/18
casual	lässig 6/56

catalog (magazine)	Katalog, der, -e 1/12	to complain	beschweren (sich) (über + Akk. / bei + Dat.) 4/35
catastrophe	Katastrophe, die, -n 6/51	complete	komplett 7/58
caution	Vorsicht, die (Sg.) 4/34	computer memory (RAM)	Arbeitsspeicher, der, - 4/32
cave house	Höhlenhaus, das, "-er 3/23	computer processor	Prozessor, der, -en 4/32
CD tray	CD-Laufwerk, das, -e 4/33	to consider	überlegen (sich) 1/11
CD-ROM	CD-ROM, die, -s 4/33	conspicuous	auffällig 4/36
cell network	Handynetz, das, -e 4/34	constantly (1)	dauernd 7/60
cell phone contract	Handyvertrag, der, "-e 4/35	constantly (2)	ständig 8/71
cell phone purchase	Handykauf, der, "-e 4/34	to contemplate (to think about)	nach|denken* (über + Akk.) 5/46
to change (clothes) (1)	um|ziehen* (sich) 1/8	to continue writing	weiter|schreiben* 1/12
to change (to alter) (2)	ändern 2/19	to continue (to go further)	weiter|gehen* 7/60
to chat (idly)	quatschen 1/6	contract	Vertrag, der, "-e 4/34
to cheat	schummeln 6/51	to contradict	widersprechen* 3/26
to check (1)	checken 6/50	convention	Convention, die, -s 8/72
to check (to verify) (2)	kontrollieren 3/27	to convince	überreden 8/70
child star	Kinderstar, der, -s 7/60	cool	kühl 3/23
chili	Chili, der (Sg.) 8/66	corner	Ecke, die, -n 3/24
to chop off (to cut off)	ab|schlagen* 7/63	cosplayer	Cosplayer, der, - 8/72
churro	Churro, der, -s 2/16	courage (bravery)	Mut, der (Sg.) 5/43
cigarette	Zigarette, die, -n 5/46	cow	Kuh, die, "-e 3/23
citizen	Bürger, der, - 3/25	crazy (outlandish)	ausgeflippt 2/19
city block	Wohnblock, der, "-e 3/23	crazy person (reckless person)	Spinner, der, - 8/70
city center	Zentrum, das, Zentren 3/23	crew (team)	Mannschaft, die, -en 7/62
city limit	Stadtrand, der, "-er 3/23	criminal	Kriminelle, der/die, -n 4/34
city of over a million inhabitants	Millionenstadt, die, "-e 3/24	cripple	Krüppel, der, - (ugs.) 5/47
class forum	Klassenforum, das, -foren 6/50	curious	neugierig 1/11
		to curse	fluchen 8/68
class president	Klassensprecher, der, - 6/53	curtain	Vorhang, der, "-e 6/52
classical	klassisch 2/14	customer	Kunde, der, -n 4/34
climbing equipment	Klettersachen, die (Pl.) 1/9	damned	verdammt 5/47
		dark (gloomy)	finster 5/46
climbing tree	Kletterbaum, der, "-e 6/51	day off from school	schulfrei 7/61
		deaf	taub, gehörlos 5/46
clique	Clique, die, -n 7/59	deaf person	Taube, der/die, -n (ugs.) 5/47
closed off (barricaded)	abgesperrt 6/52		
clothes shopping	Kleiderkauf, der, "-e 5/42	dear	lieb 1/12
combination	Mischung, die, -en 4/32	death	Tod, der, -e 7/58
to combine	kombinieren (mit + Dat.) 7/58	to defeat	besiegen 7/63
		denim shirt	Jeanshemd, das, -en 5/44
to come out (to be released) (as in an album)	erscheinen* 7/60	description	Beschreibung, die, -en 1/8
to comment	kommentieren 6/56	design	Design, das, -s 4/36
comparable	vergleichbar 4/32	desire for adventure	Abenteuerlust, die (Sg.) 8/70
to compare	vergleichen* (mit + Dat.) 4/34	to determine	bestimmen 4/32

to die	sterben* 7/62	excitement	Begeisterung, die (Sg.) 5/48
different	anders 2/16	executioner (hangman)	Henker, der, - 7/63
difficult	schwierig 5/45	exhaust fumes	Abgas, das, -e 3/25
dimension	Dimension, die, -en 7/58	exhibition	Ausstellung, die, -en 6/53
direct (frank)	direkt 6/54	exotic	exotisch 2/16
disability	Behinderung, die, -en 5/47	extreme(ly)	extrem 4/34
to discover	fest|stellen 6/53	fabric	Stoff, der, -e 5/42
to discuss (1)	unterhalten* (sich) (über + Akk.) 1/6	facility with a climbing wall	Klettergarten, der, "- 1/9
to discuss (2)	besprechen* 3/26	factory	Fabrik, die, -en 5/42
discussion	Diskussion, die, -en 3/26	to fascinate	faszinieren 8/72
display	Display, das, -s 4/36	fascination	Faszination, die (Sg.) 8/70
division (distribution)	Aufteilung, die, -en 4/36	fashion designer	Mode-Designer, der, - 5/42
double	Doppelte, das (Sg.) 4/34	fashion label	Modefirma, die, -firmen 5/42
download	Download, der, -s 1/9	fashionista	Mode-Tussi, die, -s 2/14
downtown	Innenstadt, die, "-e 2/16	fatty	fettig 2/16
drawer	Schublade, die, -n 3/27	favorite	Lieblings-, die 1/12
to dream	träumen (von + Dat.) 1/12	feature	Feature, das, -s 4/32
dream	Traum, der, "-e 5/45	to feel (like sth.)	an|fühlen (sich) 5/46
dream country	Traumland, das, "-er 2/20	festival	Festival, das, -s 1/9
dream vacation	Traumurlaub, der, -e 1/8	to fight	kämpfen (gegen + Akk.) 4/30
to dress up	verkleiden 8/70	film personality	Filmfigur, die, -en 7/60
driver	Fahrer, der, - 3/25	film series (franchise)	Filmreihe, die, -n 7/60
to drop by	vorbei|kommen* 1/8	film star	Filmstar, der, -s 7/58
dubber	Synchronsprecher, der, - 4/31	fire eater	Feuerspucker, der, - 8/70
effort	Mühe, die, -n 8/70	fire eating	Feuerspucken, das (Sg.) 8/70
electricity	Strom, der (Sg.) 3/23	first	Erste, der/die, -n 3/26
elementary school	Grundschule, die, -n 3/24	first of all	erst einmal 4/35
elevation	Höhe, die, -n 1/9	flat rate	Grundgebühr, die, -en 4/34
e-mail partner	E-Mailpartner, der, - 6/54	flyer	Prospekt, der, -e 1/12
embarrassment	Verlegenheit, die (Sg.) 6/56	to fold	falten 1/12
emotion	Emotion, die, -en 4/36	for hours (hours long)	stundenlang 4/32
endless(ly)	ewig 6/51	foreign (unknown)	fremd 4/32
energy	Energie, die, -n 6/51	foreign country	Ausland, das (Sg.) 2/15
to ensure	sorgen (für + Akk.) 8/70	to forge (to create)	her|stellen 4/32
entire	gesamt 4/31	forum	Forum, das, Foren 2/14
envy (jealousy)	Neid, der (Sg.) 6/56	fourth	Viertel, das, - 4/34
equestrian club	Reitverein, der, -e 3/24	freak	Freak, der, -s 6/51
essay	Referat, das, -e 6/50	free (complimentary)	umsonst 4/34
even when	auch wenn 5/43	friendly greetings	mit freundlichen Grüßen 6/54
event (1)	Veranstaltung, die, -en 8/70	frustrated	verzweifelt 6/51
event (occurrence) (2)	Ereignis, das, -se 7/62	to fulfill	erfüllen (sich) 8/71
every	alle 3/24	fulfillment	Erfüllung, die (Sg.) 8/70
every time	jeweils 1/9	further	weiter 5/43
exchange	Austausch, der, -e 2/15		
exchange student	Gastschüler, der, - 2/14		
exchange year (study abroad year)	Austauschjahr, das, -e 2/20		

gear *(equipment)*	Ausrüstung, die, -en 1/9	host brother	Gastbruder, der, "- 2/16
German *(person)*	**Deutsche**, der/die, -n 8/67	host father	Gastvater, der, "- 2/16
		host mother	Gastmutter, die, "- 2/16
German test	Deutschtest, der, -s 6/55	host parents	Gasteltern, die *(Pl.)* 2/16
gesture	Geste, die, -n 7/58	hotline	Hotline, die, -s 4/35
to get back	zurück|haben* 4/35	house music	House-Musik, die *(Sg.)* 1/9
to get going	los|müssen* 6/55		
to glance *(to look)*	blicken 7/62	houseboat	Hausboot, das, -e 3/22
globalization	Globalisierung, die *(Sg.)* 5/42	however	**allerdings** 3/24
		to hug *(to embrace)*	umarmen 6/55
to glow	glimmen 5/46	ID check	Ausweiskontrolle, die, -n 1/9
to go *(to proceed)*	**gehen*** 4/31		
to go about *(to go around)*	herum|gehen* 7/60	idiot	Blödmann, der, "-er 2/16
		illegal(ly)	illegal 5/42
to go over (so.)	hin|gehen* 1/10	to improve	**verbessern** 8/68
God	**Gott**, der, "-er 6/55	in fact *(even)*	**sogar** 1/6
graffiti	Graffiti, die *(Pl.)* 3/28	in fashion	**in** 1/12
grafitti scene	Graffitiszene, die, -n 8/72	in suspense	gespannt 1/12
graphic *(adj.)*	grafisch 4/36	in the middle	**mitten** 7/62
graphics	Grafik, die, -en 4/32	income	**Lohn**, der, "-e 5/42
graphics card *(video card)*	Grafikkarte, die, -n 4/32	indebted	verbunden 6/54
graphics program	Grafikprogramm, das, -e 4/36	indeed	**wohl** 2/16
		industry	**Industrie**, die, -n 5/42
grill pavilion	Grillplatz, der, "-e 1/9	to inform (1)	**informieren** (sich) (über + *Akk.*) 6/52
to guarantee	garantieren 4/32		
guy	Kerl, der, -e 7/59	to inform (2)	**mit|teilen** 6/54
guys	Jungs, die *(Pl.)* 1/6	information day *(open house)*	Infotag, der, -e 2/15
half	**Hälfte**, die, -n 4/34		
half of (one's) body	Körperhälfte, die, -n 5/46	inhabitant	**Bewohner**, der, - 3/24
half-brother	Halbbruder, der, "- 2/17	to insert (a CD)	ein|legen 4/32
half-sister	Halbschwester, die, -n 2/16	inspiration	Inspiration, die, -en 8/70
		installation	Installation, die, -en 4/32
hammer	**Hammer**, der, - 3/28	instead only	nur noch 3/24
to hammer	hämmern 3/28	insulted	beleidigt 6/56
handicapped	**behindert** 5/46	introduction	Einleitung, die, -en 5/48
handwriting	**Schrift**, die, -en 6/51	to invent	**erfinden*** 6/51
to hang out	ab|hängen* 1/6	invention	Erfindung, die, -en 6/51
harbor	**Hafen**, der, "- 7/62	invisible	unsichtbar 6/51
hard	**hart**, härter, am härtesten 5/45	iron	eisern 6/52
		jealous	eifersüchtig 2/16
hard drive	**Festplatte**, die, -n 4/33	jousting tournament	Ritterturnier, das, -e 8/70
hardware store	Baumarkt, der, "-e 3/28	J-Pop *(Japanese pop)*	J-Pop, der *(Sg.)* 2/14
to hate	**hassen** 6/56	judge	Richter, der, - 7/63
to have (sth.) on you	**dabei|haben*** 2/18	just (1)	**eben** 2/16
having a cold	**erkältet** 8/66	just (2)	**gerade** 7/58
to hear of (sth.)	**erfahren*** 6/54	just like	**ebenso** 7/60
heat	**Hitze**, die *(Sg.)* 2/16	karaoke	Karaoke, das *(Sg.)* 2/14
hero	**Held**, der, -en 7/62	karate	Karate, das *(Sg.)* 3/24
history project	Geschichtsprojekt, das, -e 6/51	to kill	**töten** 7/63
		kilometer	**Kilometer**, der, - *(Abkürzung: km)* 6/52
hit	Hammer- 6/56		
homesickness	**Heimweh**, das *(Sg.)* 8/67	kiosk *(newsstand)*	**Kiosk**, der, -e 3/24
honored	geehrt 6/54	knight	**Ritter**, der, - 8/70

knight games	Ritterspiele, die (Pl.) 8/70	to move	ziehen* 5/46
LAN gamer	LAN-Spieler, der, - 8/72	movie director	Regisseur, der, -e 4/31
laughter	Lachen, das (Sg.) 6/55	movie night	DVD-Abend, der, -e 1/6
to leave on	an|lassen* 8/67	to mow	mähen 7/61
lecture (talk)	**Gespräch**, das, -e 8/70	musician	Musiker, der, - 1/9
ledge (mantelpiece)	Sims, der, -e 5/46	my pleasure	gern geschehen 6/56
legal	legal 4/35	myth	Mythos, der, Mythen 7/58
leisure opportunity	Freizeitmöglichkeit, die, -en 3/25	nail	**Nagel**, der, "- 3/28
level	Level, das, -s 4/30	narrator	Sprecher, der, - 4/31
line (of text)	**Zeile**, die, -n 2/16	native language (mother tongue)	Muttersprache, die, -n 8/69
to list	an|geben* 4/36	nature preserve	Naturschutzgebiet, das, -e 6/52
listener	Zuhörer, der, - 5/48	necessary	erforderlich 1/9
live (as in a concert)	live 1/9	needle	**Nadel**, die, -n 5/42
live music	Live-Musik, die (Sg.) 3/28	neighborhood	Stadtteil, der, -e 3/24
to look at	an|schauen 2/20	neighboring village	Nachbardorf, das, "-er 3/23
to look out	hinaus|gucken 5/46	neon shirt	Neon-Shirt, das, -s 5/44
love story	Liebesgeschichte, die, -n 7/58	nervous	**nervös** 4/30
low	**niedrig** 5/42	netbook	Netbook, das, -s 4/32
magician (wizard)	Zauberer, der, - 4/30	network	Festnetz, das, -e 4/34
magician (wizard) (f)	Zauberin, die, -nen 4/30	new information	Neuigkeit, die, -en 6/55
main character	Hauptperson, die, -en 7/64	newspaper article	Zeitungsartikel, der, - 6/55
marker with disappearing ink	Zauberstift, der, -e 6/51	next door	**nebenan** 3/28
matter of taste	Geschmackssache, die, -n 5/43	noise	**Lärm**, der (Sg.) 3/28
mayor	**Bürgermeister**, der, - 7/62	nonetheless	dennoch 6/54
		nonsense	**Unsinn**, der (Sg.) 3/26
meanwhile	mittlerweile 5/45	normal	**normal** 2/16
medieval hobbyist	Mittelalterfan, der, -s 8/70	north of	nördlich 3/24
medieval market	Mittelaltermarkt, der, "-e 8/70	nose blowing	Naseputzen, das (Sg.) 8/66
medieval style	mittelalterlich 8/70	not only...but also	**nicht nur ..., sondern auch** 6/54
meeting	Treffen, das, - 6/52	to notice (to perceive)	**merken** 8/67
melodic	melodisch 8/69	to nourish	**ernähren** (sich) (von + Dat.) 8/72
memorial site	Denkmal, das, "-er 7/62	now	**nun** 3/28
mentally	mental 6/56	to occupy (oneself)	beschäftigen (sich) (mit + Dat.) 8/71
menu	**Menü**, das, -s 4/33	to offer	an|bieten* 2/18
merchants	Kaufleute, die (Pl.) 7/62	offer (sale)	**Angebot**, das, -e 1/9
middle ages	Mittelalter, das, - 8/70	office (department)	**Amt**, das, "-er 3/24
million	**Million**, die, -en 3/25	on which	denen 6/51
minimum age	Mindestalter, das, - 1/9	once again	noch mal 4/35
mirror	**Spiegel**, der, - 5/42	online advertisement	Internetwerbung, die (Sg.) 4/36
to miss (a bus, an appointment, etc.) (1)	**verpassen** 3/24	only child	**Einzelkind**, das, -er 2/16
to miss (so.) (2)	vermissen 2/16	open-air concert	Open Air, das, -s 1/9
monster	Monster, das, - 4/30	to open (to begin)	**eröffnen** 6/53
monthly charge (tariff)	**Tarif**, der, -e 4/34	opening (of an event) (1)	Eröffnung, die, -en 6/53
more so	vielmehr 6/56		
mouse	**Maus**, die, "-e 4/33		

opening (of an object) (2)	Öffnung, die, -en 6/52	to pour (into one's glass)	ein|schenken 8/66
open-plan apartment	Großraumwohnung, die, -en 3/22	presale	Vorverkauf, der, "-e 1/9
operating system	Betriebssystem, das, -e 4/32	presentation	Präsentation, die, -en 5/48
opinion (outlook)	Ansicht, die, -en 3/26	princess	Prinzessin, die, -nen 4/30
opportunity	Gelegenheit, die, -en 6/53	principal	Direktor, der, -en 6/53
orchestra	Orchester, das, - 1/6	print advertisement	Printwerbung, die (Sg.) 4/36
order (command)	Aufforderung, die, -en 4/36	prisoner	Gefangene, der/die, -n 7/62
original	originell 5/42	to proceed (to happen)	gehen* 6/54
to originate in	entstehen* 7/58	product	Produkt, das, -e 4/36
otter	Fischotter, der, - 6/52	production	Produktion, die, -en 5/42
out of it	daraus 4/31		
outdoor swimming pool	Freibad, das, "-er 5/45	professional	beruflich 5/42
outside wall of a house	Hauswand, die, "-e 8/72	to progress	weiter|kommen* 4/30
to paint (1)	streichen* 3/28	project plan	Projektplan, der, "-e 6/52
to paint (to color) (2)	bemalen 8/72	promise	Versprechen, das, - 7/63
pale (1)	blass 2/16	prompt	baldig 6/54
pale (2)	bleich 2/16	proud	stolz 6/53
paralyzed	gelähmt 5/46	to pull	ziehen* (an + Dat.) 5/46
paralyzed on one side (1)	Halbseitenspastiker, der, - 5/47	punishment (sentence)	Strafe, die, -n 7/63
		pure	pur 1/9
paralyzed on one side (hemiplegic) (2)	halbseitengelähmt 5/47	to put some cream on	ein|cremen 2/16
		quarrel (fight)	Streiterei, die, -en 2/16
parent	Elternteil, der, -e 1/9	questioning	fragend 5/47
parkour show	Parkourshow, die, -s 7/61	R&B music	R'n'B-Musik, die (Sg.) 1/9
particular	speziell 8/72	radio DJ	Radio-DJ, der, -s 1/9
partnership	Partnerschaft, die, -en 6/54	radio producer	Radiomacher, der, - 1/9
		rap lyrics	Raptext, der, -e 7/60
to pass by	vergehen* 2/16	to read aloud	vor|lesen* 1/12
pastry	Gebäck, das, -e 2/16	to recommend	empfehlen* 1/8
patience	Geduld, die (Sg.) 4/31	recommendable	empfehlenswert 4/32
patterned	gemustert 5/44	recording	Aufnahme, die, -en 4/31
PC game	PC-Spiel, das, -e 4/32	recording engineer	Tontechniker, der, - 4/31
to perceive	halten* (für + Akk.) 5/47	recording studio	Tonstudio, das, -s 4/31
perfect	perfekt 5/45	recreational park	Fun-Park, der, -s 5/45
perhaps	eventuell 6/50	region	Gebiet, das, -e 6/52
periodical	Zeitschrift, die, -en 4/32	to register	registrieren (sich) 4/32
permission	Erlaubnis, die (Sg.) 8/70	rehearsal	Probe, die, -n 1/6
phone call	Telefonat, das, -e 4/34	renaissance fair	Burgfest, das, -e 8/70
physics test	Physiktest, der, -s 7/61	to renovate	renovieren 3/28
pirate	Pirat, der, -en 7/62	renovation	Renovierung, die, -en 3/28
pizza night	Pizzaabend, der, -e 8/67		
to play together	mit|spielen 1/9	repeat examination	Wiederholungsprüfung, die, -en 6/51
pleasant(ly)	angenehm 3/23	to reply (to retort)	entgegnen, erwidern 5/46
pleasure	Vergnügen, das, - 6/54		
point	Punkt, der, -e 5/46	to report	an|zeigen 4/35
pool club	Schwimmclub, der, -s 1/6	requirement	Voraussetzung, die, -en 1/9
poor person	Arme, der/die, -n 7/62		
pop music	Popmusik, die (Sg.) 2/14	research	Recherche, die, -n 6/52
possible	möglich 4/32		

respect	Respekt, der (Sg.) 6/54	slogan	Slogan, der, -s 4/36
responsible (in charge)	zuständig 4/31	small (modest)	gering 5/42
retirement home	Altenheim, das, -e 3/28	smiley	Smiley, der, -s 6/56
revolting (disgusting, nasty)	eklig 8/66	smirk	Gegrinse, das (Sg.) 6/56
		so many	so viel, so viele 6/53
ripe (mature)	reif 7/60	sofa	Sofa, das, -s 3/28
to rob (to hold up)	überfallen* 7/62	soldier	Soldat, der, -en 7/62
to rock	schaukeln 3/23	solution	Lösung, die, -en 4/33
rocket	Rakete, die, -n 4/30	some (1)	irgend- 3/27
role	Rolle, die, -n 5/46	some (2)	mancher, manche 4/34
route	Route, die, -n 1/9	some (3)	etwas 8/70
row	Reihe, die, -n 7/63	some kind of (any)	irgendein, irgendeine 3/27
row house	Reihenhaus, das, "-er 3/23		
		somehow	irgendwie 3/27
to run by	vorbei|laufen* 7/63	someone	irgendwer 3/27
sailor	Seemann, der, "-er 7/62	something	irgendwas 3/27
to sample (to test)	aus|probieren 1/9	sometime	irgendwann 3/27
school concert	Schulkonzert, das, -e 2/19	somewhere	irgendwo 3/27
		sound	Geräusch, das, -e 4/36
school uniform	Schuluniform, die, -en 2/14	to sound (like sth.)	an|hören (sich) 5/47
		speechless	sprachlos 6/56
schoolteacher	Klassenlehrer, der, - 1/12	to spend (time)	verbringen* 5/46
screenplay	Drehbuch, das, "-er 4/36	spicy	scharf, schärfer, am schärfsten 8/66
seafarers	Seeleute, die (Pl.) 7/62	sponsor	Sponsor, der, -en 3/28
secondhand clothes	Second-Hand-Kleidung, die (Sg.) 5/49	sports club	Sportverein, der, -e 3/24
		spray can	Spraydose, die, -n 8/72
secretly	heimlich 5/46	to spray over	besprühen 3/28
section	Abschnitt, der, -e 5/48	standard	üblich 4/35
to send back	zurück|schicken 4/35	to start	starten 4/37
senior citizen	Senior, der, -en 3/28	to step up (to take the stage)	auf|treten* 8/71
series	Serie, die, -n 7/60		
several times	mehrmals 4/31	to stick (to adhere)	kleben 7/60
to sew	nähen 5/42	to sting	stechen* 7/61
sewing machine	Nähmaschine, die, -n 5/42	story (account)	Erzählung, die, -en 5/48
		to strain	ächzen 6/55
sheet	Blatt, das, "-er 1/12	strange	seltsam 8/67
shopping mall	Einkaufszentrum, das, -zentren 3/24	strategical(ly)	strategisch 4/30
		strategy	Strategie, die, -n 4/32
shoulder	Schulter, die, -n 7/62	strategy game	Strategiespiel, das, -e 4/32
shrug	Achselzucken, das (Sg.) 6/56		
		stressful	stressig 4/31
siesta (afternoon nap)	Siesta, die, -s 2/16	to strike (to hit, to defeat)	schlagen* 6/56
to sign (a name) (1)	unterschreiben* 1/9	stripe (swath)	Streifen, der, - 6/53
to sign (to conclude) (a contract) (2)	ab|schließen* 4/35	to stroke	streichen* 5/46
		student ID	Schülerausweis, der, -e 1/9
simultaneously	gleichzeitig 2/16		
single-family home	Einfamilienhaus, das, "-er 3/23	studio	Studio, das, -s 4/31
		studio equipment	Studiotechnik, die, -en 4/31
to skate	skaten 5/45		
skate park	Skaterplatz, der, "-e 1/7	style	Stil, der, -e 5/43
skater	Skater, der, - 8/72	suburb	Vorort, der, -e 3/24
slim	schlank 2/14	success	Erfolg, der, -e 4/32

successful	erfolgreich 6/54	TV advertisement	TV-Spot, der, -s 4/36
such	**solcher**, solche 8/70	type of living arrangement	Wohnform, die, -en 3/23
summary	Kurztext, der, -e 4/36		
sunscreen	Sonnenmilch, die *(Sg.)* 2/16	type of person who enjoys a particular leisure activity	Freizeittyp, der, -en 1/8
surprised	überrascht 7/64		
surrounding area	**Umgebung**, die, -en 6/53	unclear(ly)	undeutlich 2/16
to swallow	schlucken 5/46	understanding	**Verständnis**, das *(Sg.)* 6/54
system requirement	Systemvoraussetzung, die, -en 4/32	to undertake	unternehmen* 1/8
		unfair	unfair 4/35
tailor	Schneider, der, - 5/42	unknown	unbekannt 1/12
to take away	weg|nehmen* 7/62	to unpack	aus|packen 8/67
to take off	aus|ziehen* 8/67	unsure	unsicher 8/67
to take place	statt|finden* 3/28	until	bis 7/62
to take seriously	ernst nehmen* 5/47	vacation destination	Ausflugsziel, das, -e 6/52
talk *(lecture)*	**Vortrag**, der, "-e 6/50		
tall building *(skyscraper)*	Hochhaus, das, "-er 3/23	vegan	Veganer, der, - 8/72
tasteless	geschmacklos 2/14	vegetarian	**vegetarisch** 8/72
taxi *(cab)*	Taxi, das, -s 3/24	vertigo *(fear of heights)*	Höhenangst, die *(Sg.)* 3/22
tender *(affectionate)*	innig 6/54		
to terminate	**kündigen** 4/34	very (1)	super- 2/16
text excerpt	Textabschnitt, der, -e 5/48	very *(totally)* (2)	voll 2/16
		viewer	Zuschauer, der, - 7/58
thankful	dankbar 3/28	violin	Geige, die, -n 1/6
thereafter *(thereupon)*	darauf 7/60	voice	**Stimme**, die, -n 6/56
thereby	dabei 3/28	wallet	Geldbeutel, der, - 8/66
third	**Drittel**, das, - 4/34	to want back	zurück|wollen* 4/35
to this	daran 8/67	to warn	warnen (vor + *Dat.*) 4/34
though	zwar 7/58		
thought	**Gedanke**, der, -n 8/70	wasp	Wespe, die, -n 7/61
thread	Faden, der, "- 5/42	western film	Western, der, - 7/58
ticket *(for an event)*	**Ticket**, das, -s 1/9	when *(while)*	als 7/59
together	**gemeinsam** 6/52	to whisper	flüstern 5/47
tour *(as in a band)*	Tournee, die, -n 1/9	whom (1)	wen 2/17
tour of the city	Stadttour, die, -en 1/8	whom (2)	wem 5/48
tournament	Turnier, das, -e 5/45	wide	breit 6/52
traffic	Verkehr, der *(Sg.)* 3/24	window *(in software)*	**Fenster**, das, - 4/33
traffic jam	**Stau**, der, -s 3/25	windowsill	Fenstersims, das, -e 5/46
train platform	**Bahnsteig**, der, -e 8/72		
to transfer *(money)*	**überweisen*** 4/35	within	innerhalb 4/34
to transfer back	zurück|überweisen* 4/35	wonder	Wunder, das, - 3/23
to translate	übersetzen 6/56	to wonder	wundern (sich) (über + *Akk.*) 8/66
transport *(shipping)*	**Transport**, der, -e 5/42		
to travel	**reisen** 2/20	wonderful *(marvelous)*	**herrlich** 3/23
treehouse	Baumhaus, das, "-er 3/22	wood	Holz, das, "-er 3/28
trick	Trick, der, -s 4/34	to work out *(to go smoothly)*	klappen 4/31
trip *(voyage)*	**Reise**, die, -n 1/12		
to try hard *(to make an effort)*	**bemühen** (sich) (um + *Akk.*) 8/71	to work together	**zusammen|arbeiten** 6/53
Turkish class	Türkischunterricht, der *(Sg.)* 8/68	yearning	Sehnsucht, die, "-e 8/70
		yours truly	hochachtungsvoll 6/54
to turn to	wenden (sich) (an + *Akk.*) 6/54	youth band	Jugendband, die, -s 1/9

Irregular verbs

abbiegen	biegt ab	bog ab	ist abgebogen
abfahren	fährt ab	fuhr ab	ist abgefahren
abhängen	hängt ab	hing ab	hat abgehangen
abschlagen	schlägt ab	schlug ab	hat abgeschlagen
abschließen	schließt ab	schloss ab	hat abgeschlossen
abschreiben	schreibt ab	schrieb ab	hat abgeschrieben
anbieten	bietet an	bot an	hat angeboten
anfangen	fängt an	fing an	hat angefangen
angeben	gibt an	gab an	hat angegeben
angehen	geht an	ging an	ist angegangen
ankommen	kommt an	kam an	ist angekommen
anlassen	lässt an	ließ an	hat angelassen
anrufen	ruft an	rief an	hat angerufen
ansehen	sieht an	sah an	hat angesehen
ansprechen	spricht an	sprach an	hat angesprochen
anziehen	zieht an	zog an	hat angezogen
auf sein	ist auf	war auf	ist auf gewesen
aufbleiben	bleibt auf	blieb auf	ist aufgeblieben
auffallen	fällt auf	fiel auf	ist aufgefallen
aufgeben	gibt auf	gab auf	hat aufgegeben
aufhängen	hängt auf	hing auf	hat aufgehängt
aufnehmen	nimmt auf	nahm auf	hat aufgenommen
aufschreiben	schreibt auf	schrieb auf	hat aufgeschrieben
aufstehen	steht auf	stand auf	ist aufgestanden
auftreten	tritt auf	trat auf	ist aufgetreten
aus sein	ist aus	war aus	ist ausgewesen
ausdenken	denkt aus	dachte aus	hat ausgedacht
ausgeben	gibt aus	gab aus	hat ausgegeben
ausgehen	geht aus	ging aus	ist ausgegangen
aushaben	hat aus	hatte aus	hat ausgehabt
auskennen	kennt aus	kannte aus	hat ausgekannt
ausschlafen	schläft aus	schlief aus	hat ausgeschlafen
aussehen	sieht aus	sah aus	hat ausgesehen
aussteigen	steigt aus	stieg aus	ist ausgestiegen
aussterben	stirbt aus	starb aus	ist ausgestorben
ausweisen	weist aus	wies aus	hat ausgewiesen
ausziehen	zieht aus	zog aus	ist ausgezogen
behalten	behält	behielt	hat behalten
beißen	beißt	biss	hat gebissen
beschließen	beschließt	beschloss	hat beschlossen
besitzen	besitzt	besaß	hat besessen
besprechen	bespricht	besprach	hat besprochen
bestehen	besteht	bestand	hat bestanden
bestreichen	bestreicht	bestrich	hat bestrichen
betreiben	betreibt	betrieb	hat betrieben
betreten	betritt	betrat	hat betreten
betrügen	betrügt	betrog	hat betrogen
bewerben	bewerben	bewirbt	beworben
bieten	bietet	bot	hat geboten
bitten	bittet	bat	hat gebeten

brennen	brennt	brannte	hat gebrannt
bringen	bringt	brachte	hat gebracht
da sein	ist da	war da	ist da gewesen
dabei sein	ist dabei	war dabei	ist dabei gewesen
dabeihaben	hat dabei	hatte dabei	hat dabeigehabt
dazuschreiben	schreibt dazu	schrieb dazu	hat dazugeschrieben
dortbleiben	bleibt dort	blieb dort	ist dortgeblieben
dran sein	ist dran	war dran	ist dran gewesen
draufhaben	hat drauf	hatte drauf	hat draufgehabt
durchfallen	fällt durch	fiel durch	ist durchgefallen
dürfen	darf	durfte	hat gedurft/dürfen
eingeben	gibt ein	gab ein	hat eingegeben
einladen	lädt ein	lud ein	hat eingeladen
einschlafen	schläft ein	schlief ein	ist eingeschlafen
einsteigen	steigt ein	stieg ein	ist eingestiegen
empfangen	empfängt	empfing	hat empfangen
empfehlen	empfiehlt	empfahl	hat empfohlen
enthalten	enthält	enthielt	hat enthalten
entscheiden	entscheidet	entschied	hat entschieden
entschließen	entschließt	entschloss	hat entschlossen
entstehen	entsteht	entstand	ist entstanden
erfahren	erfährt	erfuhr	hat erfahren
erfinden	erfindet	erfand	hat erfunden
erhalten	erhält	erhielt	hat erhalten
ernst nehmen	nimmt ernst	nahm ernst	hat ernst genommen
erscheinen	erscheint	erschien	ist erschienen
essen	isst	aß	hat gegessen
fahren	fährt	fuhr	ist gefahren
fallen	fällt	fiel	ist gefallen
fangen	fängt	fing	hat gefangen
fernsehen	sieht fern	sah fern	hat ferngesehen
finden	findet	fand	hat gefunden
freihaben	hat frei	hatte frei	hat freigehabt
fressen	frisst	fraß	hat gefressen
geben	gibt	gab	hat gegeben
gefallen	gefällt	gefiel	hat gefallen
gehen	geht	ging	ist gegangen
gelingen	gelingt	gelang	ist gelungen
genießen	genießt	genoss	hat genossen
gernhaben	hat gern	hatte gern	hat gerngehabt
haben	hat	hatte	hat gehabt
halten	hält	hielt	hat gehalten
hängen	hängt	hing	hat gehangen
helfen	hilft	half	hat geholfen
herumgehen	geht herum	ging herum	ist herumgegangen
herumlaufen	läuft herum	lief herum	ist herumgelaufen
herunterladen	lädt herunter	lud herunter	hat heruntergeladen
hinbringen	bringt hin	brachte hin	hat hingebracht
hineinkönnen	kann hinein	konnte hinein	hat hineingekonnt
hingehen	geht hin	ging hin	ist hingegangen
können	kann	konnte	hat gekonnt/können
laufen	läuft	lief	ist gelaufen
leiden	leidet	litt	hat gelitten
leidtun	tut leid	tat leid	hat leidgetan

leihen	leiht	lieh	hat geliehen
lesen	liest	las	hat gelesen
liegen	liegt	lag	hat gelegen
losfahren	fährt los	fuhr los	ist losgefahren
losgehen	geht los	ging los	ist losgegangen
loslassen	lässt los	ließ los	hat losgelassen
loslaufen	läuft los	lief los	ist losgelaufen
losmüssen	muss los	musste los	hat losgemusst
mitbringen	bringt mit	brachte mit	hat mitgebracht
mitfahren	fährt mit	fuhr mit	ist mitgefahren
mitgeben	gibt mit	gab mit	hat mitgegeben
mitgehen	geht mit	ging mit	ist mitgegangen
mithelfen	hilft mit	half mit	hat mitgeholfen
mitkommen	kommt mit	kam mit	ist mitgekommen
mitnehmen	nimmt mit	nahm mit	hat mitgenommen
mögen	mag	mochte	hat gemocht/mögen
müssen	muss	musste	hat gemusst/müssen
nachdenken	denkt nach	dachte nach	hat nachgedacht
nehmen	nimmt	nahm	hat genommen
raten	rät	riet	hat geraten
raus sein	ist raus	war raus	ist raus gewesen
rausgehen	geht raus	ging raus	ist rausgegangen
recht haben	hat recht	hatte recht	hat recht gehabt
riechen	riecht	roch	hat gerochen
rumhängen	hängt rum	hing rum	hat rumgehangen
runterlaufen	läuft runter	lief runter	ist runtergelaufen
scheinen	scheint	schien	hat geschienen
schießen	schießt	schoss	hat geschossen
schlafen	schläft	schlief	hat geschlafen
schließen	schließt	schloss	hat geschlossen
schneiden	schneidet	schnitt	hat geschnitten
schwarzfahren	fährt schwarz	fuhr schwarz	ist schwarzgefahren
schweigen	schweigt	schwieg	hat geschwiegen
schwerfallen	fällt schwer	fiel schwer	ist schwergefallen
sehen	sieht	sah	hat gesehen
spinnen	spinnt	spann	hat gesponnen
sprechen	spricht	sprach	hat gesprochen
springen	springt	sprang	ist gesprungen
stattfinden	findet statt	fand statt	hat stattgefunden
stechen	sticht	stach	hat gestochen
stehenbleiben	bleibt stehen	blieb stehen	ist stehengeblieben
stehlen	stiehlt	stahl	hat gestohlen
steigen	steigt	stieg	ist gestiegen
sterben	stirbt	starb	ist gestorben
stinken	stinkt	stank	hat gestunken
streichen	streicht	strich	hat gestrichen
streiten	streitet	stritt	hat gestritten
teilnehmen	nimmt teil	nahm teil	hat teilgenommen
tragen	trägt	trug	hat getragen
treffen	trifft	traf	hat getroffen
tun	tut	tat	hat getan
überfallen	überfällt	überfiel	hat überfallen
überlassen	überlässt	überließ	hat überlassen
übernehmen	übernimmt	übernahm	hat übernommen

überweisen	überweist	überwies	hat überwiesen
umsteigen	steigt um	stieg um	ist umgestiegen
umziehen	zieht um	zog um	ist umgezogen
unterhalten	unterhält	unterhielt	hat unterhalten
unternehmen	unternimmt	unternahm	hat unternommen
unterschreiben	unterschreibt	unterschrieb	hat unterschrieben
verbieten	verbietet	verbot	hat verboten
verbringen	verbringt	verbrachte	hat verbracht
vergehen	vergeht	verging	ist vergangen
vergessen	vergisst	vergaß	hat vergessen
vergleichen	vergleicht	verglich	hat verglichen
verhalten	verhält	verhielt	hat verhalten
verlassen	verlässt	verließ	hat verlassen
verlieren	verliert	verlor	hat verloren
vermeiden	vermeidet	vermied	hat vermieden
verraten	verrät	verriet	hat verraten
verschieben	verschiebt	verschob	hat verschoben
versprechen	verspricht	versprach	hat versprochen
vertragen	verträgt	vertrug	hat vertragen
verzeihen	verzeiht	verzieh	hat verziehen
vorbeikommen	kommt vorbei	kam vorbei	ist vorbeigekommen
vorbeilaufen	läuft vorbei	lief vorbei	ist vorbeigelaufen
vorkommen	kommt vor	kam vor	ist vorgekommen
vorlesen	liest vor	las vor	hat vorgelesen
vorschlagen	schlägt vor	schlug vor	hat vorgeschlagen
wachsen	wächst	wuchs	ist gewachsen
waschen	wäscht	wusch	hat gewaschen
wegfahren	fährt weg	fuhr weg	ist weggefahren
weggehen	geht weg	ging weg	ist weggegangen
weglaufen	läuft weg	lief weg	ist weggelaufen
wegnehmen	nimmt weg	nahm weg	hat weggenommen
wegwerfen	wirft weg	warf weg	hat weggeworfen
wehtun	tut weh	tat weh	hat wehgetan
weiterfahren	fährt weiter	fuhr weiter	ist weitergefahren
weitergehen	geht weiter	ging weiter	ist weitergegangen
weiterkommen	kommt weiter	kam weiter	ist weitergekommen
weiterschreiben	schreibt weiter	schrieb weiter	hat weitergeschrieben
werden	wird	wurde	ist geworden
werfen	wirft	warf	hat geworfen
widersprechen	widerspricht	widersprach	hat widersprochen
wiegen	wiegt	wog	hat gewogen
wissen	weiß	wusste	hat gewusst
wollen	will	wollte	hat gewollt/wollen
ziehen	zieht	zog	ist gezogen
zuhalten	hält zu	hielt zu	halt zugehalten
zurückbringen	bringt zurück	brachte zurück	hat zurückgebracht
zurückgeben	gibt zurück	gab zurück	hat zurückgegeben
zurückgehen	geht zurück	ging zurück	ist zurückgegangen
zurückhaben	hat zurück	hatte zurück	hat zurückgehabt
zurückkommen	kommt zurück	kam zurück	ist zurückgekommen
zurücküberweisen	überweist zurück	überwies zurück	hat zurücküberwiesen
zurückwollen	will zurück	wollte zurück	hat zurückgewollt
zusammen sein	ist zusammen	war zusammen	ist zusammengewesen
zutreffen	trifft zu	traf zu	hat zugetroffen

Credits